북천전기

천봉 신무협 장편소설

PAPYRUS ORIENTAL FANTASY

북천전기 3

초판 1쇄 발행 2022년 9월 16일

지은이 ㅣ 천봉
발행인 ㅣ 신현호
편집장 ㅣ 이호준
편집 ㅣ 송영규 최종건 정재웅 양동훈 곽원호 조정범 강준석 최성화
편집디자인 ㅣ 한방울
영업 ㅣ 김민원

펴낸곳 ㅣ ㈜ 디앤씨미디어
등록 ㅣ 2002년 4월 25일 제20-260호
주소 ㅣ 서울시 구로구 디지털로 26길 111 JnK디지털타워 503호
전화 ㅣ 02-333-2513(대표)
팩시밀리 ㅣ 02-333-2514
E-mail ㅣ papy_dnc@dncmedia.co.kr
블로그 ㅣ blog.naver.com/gnpdl7

ISBN 979-11-364-3720-4 04810
ISBN 979-11-364-3596-5 (SET)

3

천봉 신무협 장편소설

북천전기

北天戰記

PAPYRUS
파피루스

1장

받은 빚은 열 배로 갚아 준다

받은 빚은 열 배로 갚아 준다

며칠 후, 벽력가.

측근들과 술잔을 기울이는 위연광의 얼굴에 노기가 가득했다.

좌중의 분위기도 꽤 무거웠다.

도적 떼로 위장을 하여 북부무림의 외곽을 치려던 계획이 수포로 돌아간 것과 관련한 여파 때문이었다. 꽤 많은 이들이 죽었고, 전주 한 명은 생포까지 당했다.

결코 작다 할 수 없는 피해였기에 장로원에서 위연광에게 도의적인 책임을 묻는 지경에까지 이른 것이다.

그것만이 아니었다.

죽은 무사들의 가족들과 소속 세력의 불만을 잠재우기 위해 거금을 쏟아부어야만 했다. 그로 인해 나간 돈이 은

자로 자그마치 이만 냥이었다.

더 화가 나는 것은 하찮은 애송이 정도로 보고 있는 연후에게 번번이 당해 왔다는 점이었다.

'내가 놈을 너무 과소평가한 건가?'

연후를 떠올리니 다시금 분노가 치밀었다.

"술!"

"예."

쪼르륵.

위연광은 거푸 석 잔을 비우고 측근을 돌아보며 물었다.

"혈매단 쪽에서는 아직 소식도 없는 것이냐?"

"예상보다 시간이 걸리는 모양입니다. 조금만 더 기다려 보시면 낭보를 전해 올 것입니다."

"입은 무거운 자들이겠지?"

"염려 마십시오. 한번 신뢰를 잃으면 영원히 설 자리를 잃어버리는 곳이 자객들의 세상입니다. 설사 실패하더라도 우리가 청부했다는 사실은 절대 발설하지 못할 겁니다."

"그렇습니다. 어차피 단주 건중을 제외한 다른 자들은 우리와의 관계를 모르고 있으니 그 점은 염려하지 않으셔도 됩니다. 살문의 문주보다 더 강하다는 혈매단의 단주가 사로잡힐 일은 없을 테니 말입니다."

측근들의 연이은 호언장담에도 위연광은 왠지 찜찜했다.

그때였다.

덜컹.

누군가 문을 열고 들어섰다.

벽력가에서 정보를 담당하고 있는 인물이었다. 그가 굳은 표정으로 손에 들고 있던 큼지막한 목합을 바닥에 내려놓았다.

"그게 무엇이냐?"

"……혈매단주 건중의 수급입니다."

"뭐라?"

"뭣이?!"

좌중의 모두가 자리를 박차고 벌떡 일어섰다.

"이것도 같이 있었습니다."

위연광은 정보책임자가 내민 종이를 펼쳤다. 피로 얼룩진 종이 위에 깨알 같은 글씨가 몇 자 적혀 있었다.

빚을 졌으니 열 배 정도로 갚아 줘야 하지 않을까 싶다. 내가 인심이 좀 후해서 말이야. 후후후.

파르르…….

이름 석 자조차 적혀 있지 않았지만 위연광의 머릿속에

는 자신을 향해 비웃음을 날리는 연후의 얼굴이 자연스
럽게 떠올라 있었다.

'열 배라면…….'

순간 뇌리를 스치고 지나가는 한 줄기 불안감에 위연광
은 좌중을 향해 소리쳤다.

"천화! 천화가 무사한지 확인하거라! 어서!"

"대공자께서는 지금 거처에서 친구분들과 함께 계십니
다. 속하가 이곳으로 오기 전에 뵙고 왔으니 염려하지 마
십시오."

그 말에 위연광은 가슴을 쓸어내렸다.

그때였다.

"주군!"

청포인 하나가 황급히 뛰어 들어왔다.

안도의 빛을 머금어 가던 위연광의 두 눈이 다시 불안
감으로 가늘게 흔들렸다.

아니나 다를까.

"장로원주께서…… 돌아가셨습니다!"

"……!"

                              *   *   *

벽력가가 한눈에 내려다보이는 산봉우리.

화려하기 짝이 없는 정자 하나가 주변 풍경과 어우러져 마치 한 폭의 그림과도 같던 그곳이 죽음의 공간으로 바뀌어 있었다.

한 마리 새처럼 떨어져 내린 위연광은 참혹하기 그지없는 광경에 눈빛을 떨었다.

정자 위 난간에 떡하니 세워져 있는 수급은 틀림없는 장로원주의 것이었다.

그 뒤로 두 구의 시신이 더 있었고, 정자 주변에도 다섯 구의 시신이 참혹하게 짓이겨진 상태로 나뒹굴고 있었다.

"호위 한 명만 살아남았는데…… 그것도 이 사실을 전하라고 일부러 살려 놓은 것 같습니다."

"데려오너라."

"안 그래도 자초지종을 말씀드려야 할 것 같아서 데려왔습니다."

청포인이 손짓을 하자 무사 한 명이 앞으로 나섰다. 장로원주의 호위 중 한 명이었는데, 뜻밖에도 그의 상태는 지극히 멀쩡해 보였다.

"네가 본 모든 것을 말씀드려라."

"용변이 급해 숲에 들어갔다가 비명을 듣고 황급히 돌아오니 이미 다……."

꿈틀.

"하면 아무것도 보지 못했단 말이냐?"

"……예."

함께 올라선 자들이 경악을 금치 못했다.

벽력가의 장로원주는 세상이 알아주는 고수다. 그런 그가 그 짧은 시간에 당했다는 것이 도저히 믿기지 않았던 것이다.

그건 위연광도 마찬가지였다.

누구보다 장로원주의 실력을 잘 알고 있는 사람이 그였다.

측근 하나가 불신에 찬 목소리로 말했다.

"아무리 방심을 했다고 해도 그럴 순 없습니다. 필시 우리가 모르는 뭔가가 있는 것 같으니 면밀한 조사가 필요할 듯합니다."

그때였다.

현장을 조사하던 중년인이 나지막이 외쳤다.

"독에 당하신 것 같습니다."

"……!"

"음식과 술, 심지어 젓가락에도 독의 흔적이 남아 있습니다."

위연광의 눈빛이 한기를 번뜩였다.

음식과 술에 독이 들었다는 것은 이미 이곳으로 올라오기 전에 상대가 움직였다는 것을 의미하는 것이었다.

"당장 장로원의 숙수들과 주방에서 일하는 모두를 잡아들여라! 혹시라도 빠져나간 자가 있으면 혈귀들을 풀어서라도 잡아들여야 한다!"

"예!"

주변 모두가 일제히 산을 내려갔다.

위연광은 북쪽 하늘로 시선을 던졌다. 오늘따라 유난히 새파란 하늘이었다.

하지만 위연광의 눈에는 피를 뿌려 놓은 듯 붉게 비칠 뿐이었다.

'이놈이 정녕…….'

* * *

서북무림 북쪽의 산악 지대를 가르는 자들이 있었다.

철우, 그리고 백포와 청포를 걸친 두 명의 청년이었다. 앞서 걸어가는 철우의 장포 곳곳이 피로 흥건히 젖어 있었다.

청포 청년이 미간을 좁히며 말했다.

"상처가 깊은 것 같은데, 이쯤이면 꽤 떨어졌으니 일단 부상 부위부터 먼저 돌본 다음 가시죠."

"별거 아니니 호들갑 떨지 마."

"고수의 칼을 맞았는데 별게 아니라니요. 괜히 덧나기

전에 어서 앉으세요."

"고집 좀 그만 부려요, 형님."

다른 청년까지 나서고서야 철우는 걸음을 멈추고 숲 한 쪽의 바위에 걸터앉았다.

청포 청년이 품속에서 금창약과 천을 꺼내며 고개를 절레절레 흔들었다.

"그러게 같이 움직이자니까 왜 혼자 그러십니까. 하마터면 팔 하나 날아갈 뻔하지 않았습니까."

"닥치고 약이나 발라."

상의를 벗자 어깨에서부터 팔꿈치까지 깊게 갈라진 상처가 드러났다. 뼈마저 살짝 드러난 것으로 보아, 청포 청년의 말처럼 조금만 더 깊게 맞았더라면 팔이 잘려 나갔어도 하나 이상할 것 없는 깊은 상처였다.

"이게 좀 특수한 약이라서 꽤 아플 겁니다."

"발라."

"성질하고는……."

퍽!

"큭!"

청포 청년은 정강이를 한 대 얻어맞고서야 환부에 약을 바르기 시작했다.

극심한 통증에도 철우는 눈빛 하나 흐트러지지 않았다. 그는 기가 차다는 듯 쳐다보는 백포 청년을 올려다보며 무심히 물었다.

"뒤처리는 잘해 됐겠지?"

"그럼요. 지금쯤 독을 발견했을 테니 내부에 배신자가
있을 거라 판단하고는 한바탕 난리를 치고 있을 겁니다.
뭐, 독에 일가견이 있는 놈이 있다면 사후에 독이 뿌려졌
다는 것을 알고 금방 혼란이 가실 테지만 말입니다."

"묶습니다. 이 악무세요."

꽈악!

실룩.

철우의 눈가가 가늘게 실룩이자 지켜보던 백포 청년이
히죽 웃었다.

"천하의 형님도 아픈 건 어쩔 수 없나 봅니다."

퍽!

"컥!"

"너희 두 명."

"예?"

"올라가는 길에 아무 곳이나 잡아서 한 곳 박살을 내줘
야겠다."

"주군께서 그러라 하셨습니까?"

"내가 성이 차질 않아서 그래."

"형님도 이제 주군을 닮아 가시는군요."

철우가 발을 들자 백포 청년은 재빨리 뒤로 물러서며

히죽 웃었다.

"알겠습니다. 저 산을 넘어가면 서북무림에서 제법 위세를 떨치는 문파가 하나 있는데, 오늘 밤에 아주 박살을 내어 버리겠습니다. 저희만 믿고 형님은 편히 쉬고 계십시오."

"마폐환 있으면 줘 봐."

"그건 왜요?"

"나도 같이 간다."

"안 됩니다. 마폐환은 통증은 줄여 줘도 치료에는 아무런 효과가 없습니다. 그러다 정말 덧난다니까요?"

"내놔."

"……."

백포 청년은 어쩔 수 없이 작은 환약을 하나 건넸다. 마폐환이라는 것으로 통증을 줄여 주는 데 특효가 있는 일종의 마약이었다.

철우는 마폐환을 단숨에 입안에 털어 넣고는 상의를 걸쳤다.

청포 청년이 걱정스러운 투로 말했다.

"이놈 말처럼 그냥 저희들에게 맡기시죠. 혹시 아직도 저희를 못 믿습니까?"

"철이 더 들면 믿어 주지."

"이런, 씨."

퍽!

"켁!"

＊　＊　＊

전서구 한 마리가 철혈가로 날아들었다.

전서는 곧장 연후에게 전해졌다.

전서에는 작전 성공이 적혀 있었다. 다들 무사하다는
내용과 함께.

화르륵.

연후는 재가 되어 떨어지는 전서를 내려다보며 차갑게
웃었다.

'독을 뿌려 혼란을 부추기다니…… 제법 늘었군.'

연후는 시뻘겋게 달아올랐을 위연광의 얼굴을 생각하
며 만족했다.

'이제 천하에 소문을 퍼뜨리면 되겠군.'

따로 생각해 놓은 것이 더 있었다.

그것은 바로 개방을 통해 소문을 퍼뜨리는 것이었다.

**벽력가가 철혈가의 장로를 암습했다가 실패한 뒤, 되레
피의 보복을 당했다. 철혈가의 가주이자 북부무림의 새로
운 주군은 도발하는 자에게는 피의 보복을 단행할 것이며,**

그 대가는 열 배에 이를 것이다.

송영이 물었다.

"어떻게 되었습니까?"

서백이 송영의 뒤통수를 한 대 쥐어박았다.

딱!

"주군께서 웃으시는 걸 보면 모르겠냐?"

연후는 차를 한 모금 마시고는 둘을 향해 말했다.

"송영, 너는 당장 개방을 찾아가 지시한 내용을 전하도록 해."

"정말 소문을 퍼트려도 괜찮겠습니까? 혹시라도 백야벌에서 문제를 제기하고 나오면 어쩝니까?"

"헛소문이라 둘러대면 그뿐이니 걱정할 거 없다."

"백야벌에서는 우리가 둘러대는 말을 믿어 줄까요? 자칫 잘못되면 일이 커질 것 같은데……."

연후는 그 점은 조금도 걱정하지 않았다.

그가 본 위연광은 자존심과 허세가 하늘을 찌르는 인물이었다.

"위연광이 제 입으로 사실이 아니라고 말할 거다. 인정하면 그 순간 천하에 자존심을 구기는 꼴이 될 테니까."

"아……."

"오호!"

"그만 놀라고 빨리 움직여."

"옙!"

송영이 벌떡 일어섰다.

연후도 차를 마저 비우고는 일어섰다. 서백이 따라 일어서며 물었다.

"무학관으로 가십니까?"

"슬슬 시작해 봐야지."

* * *

무학관 입관을 위해 끌려오다시피 한 조가장의 대공자 조영은 함께 온 세 명과 식사를 하며 이런저런 대화를 나누는 중이었다.

벌써 며칠이 흘렀지만 수련은커녕 연후의 코빼기도 보지 못한 것에 다들 불만이 컸다.

"아무래도 무학관은 우리를 볼모로 잡으려는 구실에 불과했던 것 같습니다."

"빌어먹을, 이게 무슨 꼴이람."

"조 형께서 면담을 한번 청해 보시죠. 뭐가 어떻게 되는지 정도는 알아야 하지 않겠습니까?"

다들 조영을 주목했다.

하지만 조영은 말없이 젓가락만 놀렸다. 사실 누구보다

불만이 큰 그였지만 연후의 무서움을 봤기에 함부로 나설 엄두를 내지 못하고 있었다.

"때가 되면 시작하겠지. 하니 불평불만은 접어 두고 밥이나 먹자."

그가 할 수 있는 것이라고는 애써 태연자약한 모습을 보여 평소 자랑처럼 떠벌렸던 담대함을 억지로라도 보여 주는 것뿐이었다.

"장가만 믿고 있었는데, 그쪽에서는 왜 아직까지 코빼기도 비치지 않는지 모르겠네. 젠장."

"소문에 장 가주께서 백야벌에서 돌아오다가 암습을 받아 중상을 입었다고 하던데…… 설마 잘못되신 것은 아니겠지요?"

"대회의를 연기할 목적으로 일부러 장가에 머물면서 엄살을 부린다는 소문도 있던데 말입니다."

"젠장, 뭐가 어떻게 돌아가는 건지 모르겠네."

"신경 끄고 밥이나 먹으라니까."

"조 형은 걱정도 되지 않습니까? 이러다가 꼼짝없이 볼모로 잡히게 생겼습니다."

피식.

"그럼 따라오지 말았어야지."

"그땐…… 장가가 어떻게든 해결을 해 줄 거라 믿었지요."

그때였다.

덜컹.

문이 열리자 모두가 고개를 돌렸다.

그러고는 연후가 들어서는 것을 보고 동시에 벌떡 일어섰다.

조영도 마찬가지였다.

다만 일행 셋에게 조금이라도 더 강한 모습을 보여 줄 의도로 아주 조금 늦게 일어섰다.

"주군을 뵙습니다!"

"주군을…… 뵙습니다."

"왜 너희들뿐이지?"

"무공 선생들은 무사 식당에 있습니다."

"왜지?"

"여긴 장소가 협소해서……."

여기서 거래에 의한 관계가 극명히 드러났다. 말 그대로 돈을 받고 수련을 도와줄 뿐, 결코 사제지간은 아니라는 것이었다.

그때 뒤쪽에서 웅성거림이 들려왔다.

뒤이어 공자들의 무공 선생들이 들어서다가 연후를 보고는 머리를 숙였다.

"어서 오십시오."

"다들 앉지."

잠시 후, 연후는 모두를 앉혀 놓고 말을 이었다.

"오늘부터 이 친구가 너희들을 지도한다. 직책은 교관이지만 사부에 준하는 예로 모셔야 할 것이다."

모두가 백무영을 응시했다.

백무영은 자신의 이름을 밝히는 것으로 인사를 대신했다.

"백무영이다."

너 나 할 것 없이 어정쩡한 태도로 인사를 건넸다. 그들의 눈에 백무영은 전혀 고수처럼 보이지 않았다. 당장 저 기다란 나무 작대기조차 우습게 보일 뿐이었다. 연후는 무공 선생들을 응시했다.

애써 담담한 표정을 유지하고 있었지만 속내를 모를 리 없는 연후였다.

그중 하나가 물었다.

"주병이 뭔지 물어봐도 되겠습니까?"

"이거요."

백무영이 수중의 작대기를 들어 보이자 순간 모두의 눈동자에 경멸의 빛이 일어났다가 사라졌다.

질문을 했던 자가 말을 이었다.

"네 분 공자의 주병은 검인데, 어떻게 지도를 하겠다는 건지…… 혹시 그것으로 검법을 펼친다는 말입니까?"

백무영은 즉답을 하지 않았다.

연후는 나서지 않고 한발 물러섰다.

백무영이 조영을 향해 불쑥 손을 내밀었다.

"검 좀 빌릴까?"

"……."

무인에게 검은 생명과도 같은 것, 따라서 아무에게나 내주는 게 아니었다. 조영이 그 점을 말하려고 할 때, 백무영은 그의 검을 빼앗듯 낚아챘다.

철그럭.

그러고는 질문을 던진 중년인을 향해 말했다.

"거기 당신, 나가서 칼춤 한번 추겠소?"

* * *

따앙!

경쾌한 쇳소리에 이어 부러진 검이 하늘 높이 솟구쳐 올랐다.

"저럴 수가……."

조영은 두 눈을 부릅떴다.

부러진 검은 지금껏 그를 수련시킨 무공 선생의 것이었다. 절정고수인 그가 백무영과의 여섯 번째 결합에서 검이 부러지고 만 것이다.

퍽!

바르르…….

땅에 박힌 검이 바람 소리를 내며 흔들렸다. 그것을 바라보는 조영의 무공 선생의 눈빛도 불신으로 인해 세차게 흔들렸다.

하지만 그것도 잠시, 그는 질끈 눈을 감으며 패배를 선언했다.

"내가 졌소."

백무영은 담담히 물었다.

"이 정도면 자격이 되겠소?"

"……인정하겠소."

"여러분들은 어떻소?"

다른 무공 선생들이 서로를 쳐다보고는 이내 고개를 끄덕였다.

조영의 무공 선생이 굳은 표정으로 물었다.

"별호를 물어봐도 되겠소?"

"그런 거 없으니 궁금해하지 마시오."

"…….'

백무영은 조영에게 검을 건네고는 연후의 뒤로 물러섰다.

연후는 모두를 향해 말했다.

"나는 무슨 일이든 한번 시작하면 대충 하는 법이 없는 사람이야. 이 친구 또한 마찬가지지. 그러니 내일부터 죽

을 각오로 임해야 할 거다. 그리고 무공 선생들도 이곳에
남아 저 친구들을 돕도록 하시오."

"……."

그 말을 남기고 연후는 돌아섰다.

백무영이 그를 따라갔지만 서백은 남았다. 그는 아직까
지 놀란 표정을 지우지 못하고 있는 모두를 향해 특유의
웃음을 지었다.

씨익.

"여기 일정표가 있으니 각각 한 장씩 가져가도록 해."

"그쪽도 교관이오?"

"교관까지는 아니고 그때그때 상황 봐서 도움을 주는
보조라고나 할까? 아무튼 자주 볼 거야."

조영이 서백의 아래위를 기분 나쁘게 훑더니 눈에 힘을
주며 물었다.

"나이가 어떻게 되시오?"

"응. 너보다는 많아."

"……."

"그럼 내일 보자고."

돌아서는 서백을 향해 조영의 무공 선생이 물었다.

"아까 그 사람…… 정말 별호가 없소?"

"왜 없겠소? 하지만 형님이 자신을 내세우는 걸 극도로
싫어하는 사람이라서 말이오."

"무림인이 별호를 왜 감추려 하는지 도저히 이해가 가지 않소. 혹시 밝히면 안 되는 중요한 이유라도 있는 것이오?"

"누군지도 모르는 사람을 교관으로 모실 순 없지 않겠소?"

조영까지 거들고 나서자 서백은 미간을 좁히며 두 사람을 응시했다.

"하는 꼴들을 보니 앞으로 고생 좀 하겠네."

"……."

"미리 경고하는데, 그 양반…… 정말 무서운 사람이거든. 그러니 말과 행동, 눈빛 하나까지 조심해야 할 거야. 그럼 내일 보자고."

* * *

쏴아아…….

장가의 가주 장천은 비가 내리는 날을 무척 좋아한다. 특히 오늘처럼 봄비가 내리는 날이면 절로 운취에 취해 세가 뒤쪽의 산에 올라 정자에서 차를 즐기곤 했다. 오늘도 동생이자 총관인 장회와 함께 정자에 올라 찻잔을 기울였다.

하지만 표정은 결코 밝지 못했다.

탁!

"조가장과 세 문파의 후계자들을 철혈가로 데려갔단 말이지?"

"예. 철혈가와 같은 전철을 밟지 않게 할 목적으로 무학관이라는 것을 만들어 각 세가와 문파의 후계자들을 강하게 수련시킬 목적이라고 합니다."

피식.

"너도 그렇게 생각하느냐?"

"그럴 리가요. 그것을 핑계로 볼모로 잡아 둔 게 분명한데…… 그자가 예상보다 수가 높은 것 같습니다. 졸지에 세력 네 곳이 우리 그늘에서 빠져나간 꼴이 되어 버렸지 않습니까."

"아직은 더 두고 봐야지. 그나저나 각 세가와 문파의 후계자들을 수련시킬 목적이라면 조만간에 우리를 비롯한 다른 곳에도 후계자들을 보내라고 하려나?"

"그자가 그 정도로 배짱이 두둑하진 못할 겁니다. 자칫 잘못했다가 지지는커녕 미움을 살 수도 있는데, 아무리 애송이라도 그걸 모르진 않을 겁니다."

"그래, 그렇긴 하지."

장천은 미간을 좁히며 팔짱을 꼈다.

장회가 말을 이었다.

"아무래도 형님께서 빨리 들어가셔야 할 듯합니다. 이

런 식으로 야금야금 세력을 갉아먹히면 나중에 일이 더 힘들어지지 않겠습니까."

"들어가 봐야지."

"언제쯤 들어가실 생각입니까?"

"한……."

장천이 말을 하려다 말고 고개를 들었다.

장한 한 명이 정자를 향해 뛰어오고 있었는데, 장가의 정보를 책임지고 있는 인물이었다.

"무슨 일이냐?"

"장로원주께서 자객의 암습을 받고 크게 다치셨다고 합니다."

"뭐라?"

장회가 놀라서 물었다.

"위중하신가?"

"꽤 심각한 상황이라고 합니다."

장회가 놀라 두 눈마저 부릅뜰 때, 장천은 고개를 저으며 묘한 미소를 머금었다.

'원주가 잘못되면 수석장로가 승계를 하게 될 터, 하면 장로원을 우리 쪽으로 확실하게 끌어들일 수 있는데…….'

철혈가의 수석장로는 장가와 오래전부터 밀접한 관계를 맺어 온 인물이었다. 대부인 장영과도 매우 사이가 좋은 그가 장로원주의 자리에 오르면 장천으로서는 더할 나위 없는 경사요, 호사라 할 수 있었다.

"아우, 네가 좀 다녀와 줘야겠다."

"제가요?"

"병문안도 드릴 겸, 내부 분위기를 비롯해 이것저것 잘 살펴보도록 해."

"제가 가도 괜찮을까요?"

"나는 내상이 다 낫지 않아 여전히 거동이 불편하다고 전해."

"알겠습니다. 하면 바로 떠나도록 하겠습니다."

장회가 물러가자 장천은 정보책임자에게 바로 물었다.

"지시한 것은 어떻게 되었느냐?"

"하명하신 대로 주요 도시에 사람들을 풀어 소문을 내고 있습니다. 당장은 소문이 퍼지는 속도가 느리겠지만 일정 시간이 지나면 바람처럼 천하를 휩쓸게 될 것입니다."

"돈을 더 쓰더라도 사람들을 더 풀도록 해. 기밀 유지에 만전을 기해야 한다는 걸 항상 명심하고."

"알겠습니다. 하면 쉬십시오."

홀로 남게 된 장천은 의자에 깊숙이 몸을 파묻으며 내리는 빗줄기를 응시했다.

그의 입가에는 여전히 묘한 미소가 걸려 있었다.

"서북무림과 생각지도 않았던 휴전 조약이 성사되면서 일이 꼬이기 시작하더니, 이제야 뭔가 제대로 될 모양이군. 후후후."

콰르릉.

하늘 먼 곳에서 천둥소리가 울렸다.

더불어 추적추적 내리던 빗줄기가 사납게 변해 가자, 장천은 남은 차를 마저 비우고 일어섰다.

정자 주변에 서 있던 호위 하나가 재빨리 포자를 갖고 왔지만 장천은 고개를 저었다.

"모처럼 비를 맞으며 걷고 싶구나. 사색을 즐기고 싶으니 멀찌감치 떨어져서 따라오도록 해."

"알겠습니다."

쏴아아…….

장천은 빗속을 걸었다.

모처럼 좋아하는 비를 맞으며 사색을 즐기고 싶었지만 연후의 얼굴이 떠오르자 슬며시 미간을 찡그리며 쓴웃음을 머금었다.

"혈기만 앞세우는 애송이라 여겨 한 줌 고민조차 없이 기회를 줬는데 이렇게 커 버릴 줄이야…… 차라리 처음 돌아왔을 때 밟아 버렸어야 했는데……."

자책이 담긴 중얼거림이었다.

쏴아아…….

빗줄기는 점점 더 사납게 변해 갔다. 그렇게 얼마나 걸었을까?

전방에서 기척이 전해졌다.

그러자 한참 떨어져서 이동하던 호위들이 바람처럼 날아와 장천의 앞을 막아섰다.

"가주님!"

숲을 헤치며 모습을 드러낸 이는 조금 전에 먼저 내려갔던 정보책임자였다.

장천의 눈빛이 슬며시 변했다.

잔뜩 굳어진 표정에서 뭔가 사달이 벌어졌음을 깨달은 것이다.

"무슨 일이냐?"

"집법원에서 출두 명령서를 보내왔습니다."

"뭐라?"

장천은 연통을 열고 돌돌 말려 있는 서찰을 꺼내어 펼쳤다.

청룡문의 부정부패와 관련하여 조사를 하던 중 장가도 관련이 되었다는 내용을 확인…… 中略.

이에 출두를 요청하는 바이오. 불응 시 혐의를 시인하는 것으로 간주하여 적법한 절차에 따라…… 後略.

　　　　　＊　＊　＊

　쏴아아…….

　영웅각(英雄閣).

　선조들의 위상을 기리기 위해 선주 이염이 만든 그곳에
서 연후는 사마송과 찻잔을 기울였다.

　연후는 언제나처럼 무심했지만 그를 응시하는 사마송
의 눈동자는 감탄의 빛을 잔뜩 품고 있었다.

　"정말…… 벽력가의 장로원주를 제거했단 말씀이십니
까?"

　"수하들이 거짓을 보고한 게 아니라면, 지금쯤 병풍 뒤
에서 향을 맡고 누웠을 것이오."

　"오호호."

　사마송은 기어코 괴이한 웃음까지 터트렸다.

　뒤이어 격동에 찬 표정으로 말을 이었다.

　"통쾌합니다. 후련합니다. 정말 큰일을 하셨습니다, 주
군!"

　"가주는 후환이 걱정되지 않소?"

　"전혀 걱정되지 않습니다. 주군께서 행하신 일입니다.
저는 그저 믿고 따를 뿐입니다."

　연후는 옅은 미소를 머금었다.

사마송은 이래서 마음에 들었다. 매사에 복잡함이 없고 쓸데없이 깊게 생각하는 법도 없으며 오직 자신을 믿어 주고 따를 뿐이었다.

철혈가의 모두가, 또한 북부무림의 모두가 사마송과 같다면 당장 대업을 시작할 수도 있으련만.

"위연광, 그 천하의 악독한 놈이 어떤 표정이 되었을지 참으로 궁금합니다."

"자존심 때문에 당했다는 것을 부정할 수밖에 없을 테니 꽤 볼만할 거요."

"생각만 해도 십 년 묵은 체증이 싹 가시는 것 같습니다! 그동안 서북무림에 당한 것을 생각하면 밤잠을 제대로 이룰 수가 없었는데 모처럼 두 발 쭉 뻗고 잘 수 있을 듯합니다."

냉철하기 짝이 없던 평소와는 달리 흥분을 감추지 못하는 사마송의 모습에, 연후는 다시 한번 옅은 미소를 머금었다.

그때였다.

윤회가 올라왔다.

평소와는 달리 그는 갑주에 중무장을 한 채였다.

"어서 오시오."

"어서 오시구려, 총사."

"북부군으로 떠나기 전에 차 한잔 얻어 마시려고 왔습

니다.”

“앉으시오.”

“예, 주군.”

철그럭, 철그럭.

윤회가 움직일 때마다 쇳소리가 울리자 사마송이 껄껄
웃었다.

“역시 총사는 이렇듯 무장을 한 모습이 가장 잘 어울리
는 것 같소이다. 허허허.”

“습관이 되어서 그런지 저 역시 갑주를 입었을 때가 가
장 마음이 편합니다. 그나저나 가주께서 이리 든든히 주
군을 보좌해 주시니 마음 놓고 떠날 수 있을 것 같습니
다.”

“총사만 하겠소? 그저 최선을 다해 보필할 터이니 안심
하고 북부군을 이끌어 주시구려.”

윤회는 다시 북부군으로 돌아갈 예정이었다.

마음 같아서는 연후 곁에서 더 보좌하고 싶었지만, 장
로를 잃은 위연광이 또 어떤 도발을 해 올지 모르니 미리
대비를 해야 했다.

물론 연후의 뜻이었다.

연후는 두 사람을 보며 마음이 든든해지는 것을 느꼈
다. 현재까지 자신에게 가장 큰 힘이 되는 사람들이었다.

“이걸 갖고 가시오.”

연후는 품속에서 얇은 책 한 권을 꺼내어 내밀었다.

"이게 무엇입니까?"

"검법 몇 초식을 적어 놓았소. 총사나 대주급들에게는 그다지 의미가 없겠지만, 십인장급 이상의 무사들에게 제법 도움이 될 거요."

"감사합니다, 주군."

잠시 후, 윤회는 차 한 잔을 마시고 떠났다.

연후는 가슴 한쪽이 허전해지는 기분이었다. 철혈가로 귀환을 한 이후부터 누구보다 곁에서 힘이 되어 주었던 윤회였다.

사마송이 조심스럽게 물었다.

"장 가주는 어찌할 생각이신지요."

"그자를 옥죌 수 있는 강력한 무기가 있으니 적절히 잘 활용을 해야 하지 않겠소?"

"활용이라시면…… 처벌하지 않고 다른 이득을 취하시겠다는 뜻입니까?"

"나중에 두고 보면 알게 될 거요."

"예."

사마송은 더 묻지 않았다. 그저 연후가 한다고 하면 필시 좋은 결과가 날 거라 확신할 따름이었다.

"그만 일어납시다. 원주께 가 봐야겠소."

"예, 주군."

연후는 사마송과 함께 장로원으로 향했다.

다행히 송겸은 독이 더 퍼지는 위기를 넘기고 거처에서 안정을 취하는 중이었다.

정자를 나와 얼마나 걸었을까?

"으합!"

까가강!

"허리!"

픽!

"큭!"

좌측 숲에서 기합성이 울렸다.

무학관의 수련장에서 울리는 소리였다.

'한번 가 볼까?'

연후는 수련장으로 방향을 틀었다.

사마송도 궁금한 표정으로 뒤를 따랐다. 그러면서 입을 열었다.

"솔직히 무학관은 그저 형식적일 거라 생각했습니다."

"다들 같은 생각을 했을 거요."

"하면 정말 취지대로 운영을 하실 생각입니까?"

"물론이오. 저들이 강해지면 소속된 문파나 세가가 강해짐은 당연하고, 그것이 곧 본가와 북부무림 전체에 도움이 되지 않겠소? 그리고 하나 더……."

연후는 말끝을 잠시 흐렸다가 바로 이었다.

"미리미리 길을 들여 놔야 나중에 부려 먹기가 용이하지 않겠소?"

"아…… 예."

숲을 헤치고 조금 더 걸어가자 수련장이 모습을 드러내기 시작했다.

조영 등이 백무영의 지도하에 빗속에서 진흙으로 범벅이 된 채로 검을 휘두르고 있었다.

"어깨에 힘을 빼라고 했다."

퍽!

"큭!"

백무영이 목검으로 조영의 어깨를 후려쳤다.

외마디 신음과 함께 어깨를 움켜쥐는 조영의 눈빛에 악기가 가득했다.

다른 세 명도 다르지 않았다.

연신 거친 숨을 토하면서 검을 휘두르고 있었는데, 백무영을 쳐다보는 눈빛이 마치 적을 보듯 했다.

"오셨습니까."

백무영이 연후를 향해 머리를 조아렸다.

"첫날부터 너무 심한 거 아니냐?"

"기본을 엉망으로 배운 것 같아 처음부터 다시 시작해야 할 것 같습니다."

"공력은."

"있는 집 자식들이라서 그런지 공력은 제법 쓸 만한 것 같습니다. 다만 수련이 아닌 영단을 통해 얻은 것이라 완전히 자신의 것으로 만들자면 시간이 꽤 걸릴 듯합니다."

연후는 묵묵히 고개를 끄덕이며 조영 등을 응시했다. 저마다 금방이라도 쓰러질 것처럼 숨을 헐떡이는 것을 보니, 수련의 강도가 어떠한지 충분히 짐작이 갔다.

"죽을 각오로 버텨."

"비, 비효율적인 방법이라 생각합니다."

조영이 기어코 불만을 털어놓았다.

연후는 담담히 물었다.

"왜 그렇게 생각하지?"

"저희들이 무슨 하급 무사도 아니고…… 처음부터 저희 수준에 맞는 것부터 시작하는 것이 훨씬 더 효율적이라고 생각합니다."

"여기 왜 왔다고 생각하느냐."

"그거야 더 강해지기 위해서……."

"그럼 교관이 하라는 대로 해. 그럼 강해진다."

"……."

"무영."

"예, 주군."

"능력이 떨어진다 싶으면 내게 말하도록. 바로 북부군으로 보내어 실전으로 수련을 대체할 테니까."

"알겠습니다."

북부군으로 보낸다는 말에 넷의 표정이 얼음처럼 굳어졌다.

"여기 전쟁에 참전을 해 본 사람 있나?"

"……."

아무도 대답을 하지 못했다.

"언젠가는 참전을 해야 할 터. 하면 칼 한 번 휘둘러 보지도 못한 채 적의 검에 죽기 싫으면 열심히들 해."

"……."

"수고해라."

"예, 주군."

연후는 백무영의 어깨를 다독거려 주고는 장로원을 향해 걸음을 떼었다.

잠시 후, 연후는 송겸의 거처를 찾았다.

막 의원이 환부를 감은 천을 교체하고는 일어서려던 터였다.

"어서 오십시오, 주군."

"좀 어떠시오?"

"외상은 상대적으로 상처가 깊지 않아 보름 정도 약을 바르면 될 듯합니다."

"수고했소."

의원이 나가자 연후는 송겸을 응시했다.

며칠 사이에 송겸은 십 년은 더 늙어 보였다.

"좀 어떻소?"

"다쳐서 누워 보니 비로소 전장에서 적과 싸우고 있는 무사들의 심정을 조금이나마 헤아릴 수 있을 것 같소."

"회복되면 같이 북부군에 가 보는 것이 어떻겠소? 아마 다들 열렬히 환영해 줄 것이오."

"알겠소. 내 걸을 수만 있게 된다면 그 즉시 주군과 함께 북부군을 찾아가리다. 가서 그간의 미력했던 점에 대해 사과하고 용서를 빌겠소."

송겸이 손을 뻗어 연후의 손을 잡았다.

"이런 꼴을 당해 주군을 뵐 면목이 없소이다."

"무슨 말씀을…… 빨리 쾌차하시오. 나를 도와줘야 하지 않겠소?"

"염려 마시오. 주군의 수족들이 아니었다면 내 이미 한 줌 고혼이 되어 구천을 떠돌고 있을 터. 회복되면 새로 태어난 기분으로 진심을 다해 주군을 보필하겠소이다."

진심이 묻어나는 눈빛에 연후는 내심 흡족했다. 이 일이 또 이렇게 자신에게 도움이 될 거라고는 생각하지 못했다.

장로원주의 지지.

대업을 시작함에 있어서 그것만큼 강력한 우군은 없으리라.

"그럼 내일 또 오겠소."

연후는 바로 자리를 떴다.

한편, 사마송은 송겸의 곁에 남았다.

"통증이 심하다고 들었습니다."

"육신의 고통쯤이야 별게 있겠소?"

"너무 상심하지 마십시오. 호위들도 원주의 무사하신 모습을 보면 지하에서 웃고 있을 겁니다."

"그 아이들을 생각하면 억장이 무너져 내리는 것 같아 견딜 수가 없소. 원주 곁에서 호의호식한다며 누구보다 많은 비판에 시달렸던 아이들이 아니오? 그런 아이들이 피어 보지도 못한 채 져 버리고 말았으니…… 하아."

사마송은 붉어지는 송겸의 눈자위를 보며 가만히 그의 손을 잡았다.

"주군께서 한을 풀어 드렸으니 너무 자책하지 마십시오."

"그게…… 무슨 말이오? 한을 풀어 주다니."

"사로잡은 놈을 통해 위연광의 사주가 있었음을 밝혀 내시고는 수하들을 보내어 벽력가의 장로원주를 제거했습니다."

"그게 정말이오?"

송겸은 두 눈을 부릅떴다.

사마송은 빙그레 웃으며 고개를 끄덕였다.

"제가 설마 거짓을 아뢰겠습니까. 하하하. 제 생전에 이렇듯 통쾌한 적은 없었습니다. 그동안 서북무림에 당한 것을 생각하면 춤이라도 추고 싶은 심정입니다."

송겸은 지그시 눈을 감았다.

그런 그의 눈 주변이 가는 경련을 일으켰다.

사마송이 말을 이었다.

"원주님이 의식을 잃고 쓰러지셨을 때, 주군의 표정을 보셨어야 합니다. 얼마나 분노하셨는지 주변에 있던 모두가 한기에 몸을 움츠릴 정도였으니까요."

"이 늙은이가 구명지은에 이어 또 한번 주군께 평생 갚지 못할 빚을 졌구려."

결국 송겸은 눈물을 비쳤다.

"그렇게 생각하시면 하루빨리 쾌차하시어 주군을 도와주십시오. 일전에도 말씀드렸지만, 지금껏 우리가 그리던 강력한 주군이 되시고도 남을 분이십니다. 원주께서 힘이 되어 주신다면 주군은 날개를 얻은 호랑이가 되시어 천하를 호령하실 겁니다. 그 모습…… 보고 싶지 않으십니까?"

그때였다.

의원이 문을 열고 들어섰다.

시녀 한 명이 미음을 담은 그릇을 들고 따라 들어왔다.

"오늘부터는 약이 독하니 입맛이 없더라도 꼭 드셔야

합니다."

사마송은 눈이 동그래졌다.

"하면 지금껏 미음도 들지 않으셨단 말이오?"

"예. 아무리 간곡히 청해도 도통 드시지를 않으셔서……."

그때였다.

"미음보다 밥을 가져오게."

"……예?"

"미음보다는 밥을 먹는 게 회복에 도움이 되지 않겠는가."

"물론입니다. 하면 식사를 준비할까요?"

"가져오게. 빨리 회복될 수만 있다면 자네가 먹으라는 것은 무엇이든 다 먹겠네."

"아, 예."

의원이 휘둥그레진 얼굴로 사마송을 쳐다봤다. 사마송이 빙그레 웃으며 말했다.

"평소에 좋아하시던 고기도 갖다 드리시게. 아니지. 고대 동방의 제국인들이 즐겨 먹었다는 쇠고기 뼈를 푹 고아서 만든 탕이 회복에 좋다고 들었네만."

"물론입니다. 안 그래도 입맛이 돌아올 때를 대비하여 쇠고기 뼈를 끓이고 있던 참이었습니다. 하면 바로 대령하도록 할 테니 조금만 기다려 주십시오."

의원이 허겁지겁 나가자 사마송은 껄껄 웃었다.

"호위들의 한을 풀어 주셨다니 입맛이 돌아온 모양입니다. 하하하."

"위연광은 당하고 가만있을 자가 아니오. 휴전협정 때문에 병력을 일으키지는 못하겠지만 백야벌에 알려 주군을 곤란하게 만들려고 할 것이오. 그때를 대비하려면 노부가 하루라도 빨리 나아야 하지 않겠소?"

"아, 주군께서 그 부분에 대해서 이렇게 말씀하셨습니다. 위연광은 자존심이 하늘을 찌르는 자이니 제 입으로 사건의 진실을 감출 거라고 말입니다."

"……!"

"주군께서는 그 점까지 염두에 두고 과감히 보복을 단행하신 겁니다. 그것도 벽력가의 안방까지 쳐들어가서 말입니다. 하니 원주께서는 다른 걱정은 마시고 회복에만 전념하십시오."

"허허허."

송겸이 갑자기 웃음을 터트렸다.

뒤이어 붉게 변해 가던 눈가에 이슬이 맺혔다.

"이 늙은이가 주군을 너무 잘못 본 것 같소. 길들여지지 않은 초원의 늑대쯤으로 봤건만 호랑이였구려, 호랑이. 허허허."

2장

죽어 버린 증인들

北天戰記

죽어 버린 증인들

사흘째 비가 내렸다.

겨울의 완강한 저항은 쉽사리 봄이 오는 것을 허락하지
않았다.

나흘째 되던 날.

장천이 철혈가의 정문을 넘어섰다.

신병을 핑계 삼아 장가에 머무른 지 한 달이 지난 시점
이었다.

쏴아아…….

빗줄기가 갑자기 사납게 바뀌었다.

측근들이 대나무를 엮어서 만든 큼지막한 산(傘)을 펼
쳤지만 장천은 뿌리치고 본채를 향해 성큼성큼 나아갔
다.

'믿는 구석이라도 있다는 건가?'

연후는 빗속을 헤치며 걸어오는 장천을 내려다보며 차갑게 웃었다. 비장한 표정과 온몸에 잔뜩 힘이 들어가 있을 것으로 예상했는데, 뜻밖에도 장천은 여유가 넘쳐 보였다.

"호락호락하게 넘어갈 사람은 아니지. 후후후."

철우가 연후를 응시했다.

벽력가에서 입은 부상이 제법 심각했지만 그는 돌아온 이후부터 이전처럼 줄곧 연후의 곁을 떠나지 않고 있었다.

"다시 말씀드리지만 가장 빠르고 확실한 방법은 여전히 유효합니다, 주군."

"네 말처럼 저자의 목을 베면 쉽게 권좌에 오를 순 있겠지. 하지만 그렇게 하면 민심을 잃는다. 민심을 잃은 주군은 폭군에 지나지 않아."

"골육상잔조차 마다하지 않고 권좌에 올랐지만 이후 명군 소리를 들었던 제왕들도 있었지 않습니까."

연후는 철우를 돌아봤다.

눈빛이 제법 차갑게 변해 있었다.

"도대체 내가 몇 번을 말해야 이해를 할까. 또 일장연설을 해야 그 입을 다물 생각인가?"

"속하는 그저 주군께서 하루라도 빨리 권좌에 오르시어……."

"거기까지. 다시 한번 똑같은 말을 되풀이하게 만들면 너라도 용서치 않아."

"……죄송합니다."

"나가서 맞을 준비나 해."

"알겠습니다."

철우가 문을 열고 나서려 할 때였다.

사마송이 황급히 뛰어들었다.

"주군! 큰일 났습니다!"

"무슨 일이오?"

"청룡방주 홍문과 홍손패 등이…… 죽었습니다!"

"……!"

"독살을 당한 것으로 보여 뇌옥을 담당하던 모두를 조사했는데 배식을 담당했던 놈이 사라지고 없었습니다."

"세 명 모두 죽었단 말이오?"

"예. 그렇습니다."

연후는 헛웃음이 나왔다.

그 세 명을 통해 장천의 목줄을 움켜쥘 계획이었는데, 장천이 출두하는 날에 맞춰서 죽어 버리다니.

게다가 그들에게서 아직 다 파헤치지 못한 진상들도 남아 있었다.

'너무 여유를 부렸나?'

"죄송합니다. 혹시라도 이런 일이 생길까 철저하게 대

비했음에도 이런 일이…….”

사마송은 고개를 들지 못했다.

“가주 잘못이 아니니 미안해할 것 없소.”

연후는 다시 창밖으로 시선을 돌렸다.

장천이 막 본채의 마당으로 들어서고 있었다.

‘여기서 일이 이렇게 꼬여 버리다니…….’

지나치게 여유를 부렸던 스스로에게 화가 치밀어 올랐다.

사마송이 말했다.

“죽은 세 사람으로부터 자백을 받아 놓은 것이 있으니 그것으로도 충분히 장가의 비리를 입증할 수 있을 것입니다.”

연후는 고개를 저었다.

“증인이 있어도 음모라 우기면서 버티면 힘든 싸움이 될 수밖에 없는 상황에서, 아니라고 잡아떼면 달리 도리가 없소. 장 가주가 어떤 사람인지는 사마 가주가 더 잘 알지 않소?”

“…….”

사마송은 말문이 막혔다.

말처럼 증인이 있어도 음모라 주장하며 버틸 장천인데, 하물며 증인이 죽어 버렸으니 어떻게 나올지는 불을 보듯 훤했다.

"일단 내가 알아서 할 테니 가주는 죽은 자들의 사인을 좀 더 면밀히 살피도록 하시오."

"알겠습니다."

* * *

장천이 복도로 들어섰다.

그는 문 앞에 장승처럼 서 있는 철우를 향해 곧장 다가가며 물었다.

"계시느냐?"

"계십니다."

"내가 왔다고 전하거라."

"무기는 소지할 수 없소. 그리고 호위들도 복도가 아닌 밖에서 대기하시오."

"호위들이 복도에 머무르는 것은 선주 때부터 지켜져 온 관례이니라. 그리고 호위 따위가 감히 뉘 앞이라고 고개를 빳빳이 쳐들고 대꾸하는 것이냐."

이런 것에 까딱할 철우가 아니었다.

"주군께서 새롭게 정한 법이니 따르시오."

꿈틀.

"뭐라?"

장천의 눈썹이 칼날처럼 휘어질 때였다.

연후의 목소리가 흘러나왔다.

"그만 안으로 모셔라."

철우는 그제야 옆으로 한 발 물러섰다.

"네 얼굴을 똑똑히 기억해 두지."

장천은 철우를 매섭게 노려보고는 문을 열고 안으로 들어섰다.

철우는 장천의 호위들을 응시했다.

저마다 매서운 눈빛을 하고서 철우를 노려보고 있었다.

"한 발자국만 더 들어오면 목 없는 귀신이 되어 돌아가게 될 것이다."

피식.

호위장으로 보이는 장한이 이를 드러내며 웃었다. 하지만 다른 호위들은 철우의 서늘한 기세에 자신도 모르게 뒤로 두 걸음 물러섰다.

그때였다.

"길 좀 비키지."

뒤에서 굵직한 목소리가 울렸다.

백무영이었다.

그가 나타나자 호위들이 이번에는 좌우로 쫙 갈라졌다. 물론 호위장은 이건 또 뭐냐, 하는 눈빛으로 백무영을 응시했다.

백무영은 아랑곳하지 않고 장천의 호위들을 지나쳐 철

우의 앞으로 다가갔다.

"누가 온 모양이지?"

"손님이 왔습니다."

"그럼 나중에 다시 와야겠군."

"무슨 일입니까?"

"아무것도 아니다. 수고해."

백무영이 돌아가자 철우는 가슴에 검을 품고는 문에 비스듬히 기댔다.

한편, 연후는 의자에 앉아 느긋한 표정으로 장천을 맞았다.

"오랜만입니다, 외숙."

"작은 탈이 생겨 이제야 찾아뵙습니다."

"이제 다 나으셨소?"

"주군께서 염려해 주신 덕분에 다행히 부름에 응할 수 있을 만큼 회복되었습니다."

장천은 연후의 맞은편에 앉았다.

연후는 미리 준비해 놓은 차를 따라 장천에게 내밀었다. 장천은 마치 보란듯, 차향을 지그시 음미하고는 한 모금 마시는 여유까지 보였다.

연후도 차를 한 모금 마시고는 장천을 직시하며 말했다.

"조금 전에 홍문 등이 독살을 당했소."

"어허, 어쩌다가 그런 흉측한 일이……."

"내겐 흉측한 일이지만 외숙한테는 더없는 낭보가 아니겠소?"

"아까운 인재들이 죽었는데 어찌 낭보랄 수 있겠습니까. 게다가 조사 과정에서 저의 혐의가 발견되었다고 하는 것은 모두 사실이 아닙니다. 원하신다면 입증을 해 드리지요."

"그거야 때가 되면 다 밝혀질 문제고……."

장천은 한없이 태연했다. 연후도 답답한 속내를 조금도 내비치지 않았다.

양쪽 다 이런 식의 기 싸움에서 밀리고 싶은 마음은 추호도 없었다.

"덕분에 재판은 미뤄야 할 것 같소. 그렇다고 이대로 다 끝났다고 생각하진 마시오. 지금은 외숙의 권세에 눌려 숨을 죽이고 있겠지만, 이후 언제 어디서 어떤 사람이 나설지 아무도 모를 일이 아니겠소?"

"무릇 죄인들이 자신의 죗값을 모면할 목적으로 생사람을 잡기도 하는 법이지요. 현명하신 주군께서 그 정도는 아시시라 봅니다만."

"내가 그렇게 현명하지 못해서 말이오. 그래서 하는 말인데……."

연후는 말끝을 흐리며 남은 차를 마저 비웠다. 그러고

는 의자에 깊숙이 몸을 묻으며 장천을 직시했다.

"외숙을 대하는 내 태도와 방식이 바뀌지 않기를 바라야 할 거요. 만에 하나 내가 마음을 고쳐먹으면……."

싸아아…….

순간 공기가 싸늘하게 얼어붙으며 장천의 수염에 하얀 서리가 내려앉았다.

'이놈이…….'

장천이 내심 흠칫할 때, 연후는 입가에 흐릿한 미소를 머금었다.

"난 지옥을 만드는 재주가 있소. 그 재주가 외숙을 향해 쓰이지 않기를 바라겠소. 전에도 말했지만 외숙의 목을 내 손으로 베는 패륜은 저지르고 싶지가 않아서 말이오."

"지금 저를 협박하시는 겁니까?"

"협박일 수도 있고, 경고랄 수도 있고."

장천의 눈빛이 매섭게 변했다.

"손님 나가신다. 문 열어 드려라."

끼이익.

철우가 문을 열고 들어왔다.

장천은 무슨 말을 하려다가 자리를 박차고 일어섰다.

'지금까지는 세간의 이목을 생각해 양보를 해 줬지만 나와 전면전을 벌이겠다면 너 역시 모든 것을 걸어야 할 것이다. 애송이.'

장천이 철우가 반쯤 열어 놓은 문에 손을 가져가려 할 때였다.

"누군가가 내 동선을 서북무림에 전한 정황이 포착되었소. 혹시 짐작이 가는 바라도 있으시오?"

"아시다시피 돌아오신 이후로 제가 주군가에 있었던 날이 얼마 되지를 않아서요. 하루빨리 내통자를 찾아내어 엄벌하시기를 빌어 드리지요. 그럼."

연후는 휑하니 나가 버리는 장천의 뒷모습을 응시하다가 찻잔에 손을 가져갔다.

하지만 찻잔은 이미 비어 있었다.

"가서 술 좀 가져와."

"예."

철우가 밖으로 나가자 연후는 다시 의자에 깊숙이 몸을 파묻으며 미간을 좁혔다.

그는 이 상황이 마음에 들지 않았다.

이번 기회에 장천을 더욱 확실하게 옭아맬 수 있을 거라 확신했는데, 모든 것이 수포로 돌아가고 말았다.

다시 자책감이 밀려들자 연후는 지그시 눈을 감으며 고개를 좌우로 흔들었다.

"이번만큼은 패배를 인정할 수밖에."

변명의 여지가 없는 패배였다.

물론 방심을 한 탓도 있지만 자신에게 불리한 패를 한

방에 뒤집어 버린 장천의 집요함과 치밀함은 인정할 수밖에 없었다.

잠시 후, 철우가 술을 갖고 돌아왔다.

연후는 거푸 두 잔을 비웠다.

"장천은 이대로 돌려보냅니까?"

"증인이 죽어 버렸으니 어쩔 수 없다. 사마 가주의 말처럼 놈들에게서 확보한 증언만으로 재판을 열 수도 있지만, 그렇게 되면 철혈가 전체가 큰 혼란과 분열에 빠지게 될 것이다. 그건 내가 바라던 바가 아니야."

쪼르륵.

탁.

"아쉬운 모양이군."

"솔직히 그렇습니다."

"아쉬움 따윈 털어 버려. 이번 사건 덕분에 한시도 마음을 놓아서는 안 된다는 교훈을 얻었으니 크게 손해 본 것도 없다."

"……괜찮으십니까?"

"괜찮아 보이냐?"

"지나치게 담담하신 것 같아서 말입니다."

피식.

"화를 내서 되돌릴 수 있다면 그자 앞에서 미친놈처럼 날뛰었겠지. 네가 그토록 바라는 피를 봤을 수도 있고."

쪼르륵.

탁!

연후는 두 잔을 더 비우고 일어섰다.

"어디 가십니까?"

"수련장에 가 봐야겠다."

"형님이 알아서 잘하실 텐데 그냥 내버려 두시죠."

"거기 말고."

"예?"

"동방 가주에게 간다."

"아…….."

* * *

철혈가 서쪽.

연후가 머무는 본채에서 제법 떨어진 그곳에 세 채의
전각이 나란히 모여 있었다.

동방리를 비롯한 동방세가의 새로운 보금자리였다.

연후가 나타나자 오가던 사람들이 일손을 놓고 머리를
조아리기 바빴다.

연후는 한 사람도 무시하지 않고 일일이 화답을 해 주
었다.

그때였다.

"오셨군요."

뒤에서 동방리의 목소리가 울렸다.

돌아보니 그녀가 여무사 두 명과 함께 양손에 큼지막한 보따리를 든 채로 대문을 넘어서고 있었다.

"어디 다녀오는 길이오?"

"필요한 것이 있어 저잣거리에 다녀오는 길이에요."

"그럼 짐은 아랫사람들에게 맡기고 같이 갑시다."

"어디를……."

"직접 무공을 가르쳐 달라고 하지 않았소? 오늘부터 본격적으로 시작할 생각이오."

"그 전에 먼저 드릴 말씀이 있어요."

"중요한 얘기요?"

"예. 아주 많이요."

* * *

동방리의 거처는 정갈하면서도 소박했다.

연후의 시선을 잡아끈 것은 마치 살아 있는 것 같은 두 개의 영정이었다.

외조부와 어머니의 영정이었다.

연후는 영정 앞에서 잠시 걸음을 멈췄다. 누가 그렸는지 이목구비가 너무나도 생생해 금방이라도 이름을 부르며 웃으실 것 같은 착각마저 들었다.

"항상 그러셨어요. 주군께서 성장하시면 반드시 크게 되실 거라고."

"외조부께서 말이오?"

"예. 주군께서 세가를 떠나셨다는 소식을 접했을 때, 얼마나 슬퍼하셨는지 몰라요. 거의 열흘에 걸쳐 식음을 전폐하다시피 하셨거든요."

연후의 머릿속에 외조부의 모습이 떠올랐다.

오래된 기억에도 외조부는 자신에게 아낌없는 사랑을 베풀었다.

'소손이 너무 늦게 돌아왔습니다. 죄송합니다.'

"앉으세요."

연후는 무거워진 마음을 달래며 동방리의 맞은편에 앉았다. 어느새 그의 표정은 평소와 다를 바 없이 무심함, 그 자체로 돌아와 있었다.

"저잣거리에 나갔다가 이상한 소문을 들었어요."

"나와 관련된 소문이오?"

"예, 그게……."

동방리가 말을 늘어놓았다.

그녀의 말에 따르면 저잣거리에 자신이 주군이 되면 폭군이 될 거라는 소문이 나도는 중이라고 했다.

"성정이 너무 잔혹해서 조금이라도 마음에 들지 않으

면 가차 없이 죽일 거라는 등등…… 차마 입에 담지 못할 말들이 나돌고 있더군요."

연후는 묵묵히 귀를 기울이며 찻잔을 만지작거렸다. 차향이 수증기를 타고 올라와 콧등을 간질였다.

"가주는 나를 어떻게 봤소?"

"솔직한 답을 원하시나요?"

"물론이오."

동방리는 일고의 망설임도 없이 대답했다.

"솔직히 아직까지는 잘 모르겠어요. 다만 소문이 거짓이라는 건 믿을 수 있을 것 같아요."

"일부는 사실이오."

"……예?"

"내가 가고자 하는 길에 방해가 된다면 누구든 가차 없이 목을 벨 거요. 어쩌면 그것보다 더 잔혹할 수도 있소. 다만 주군의 자리에 오를 때까지 참고 있을 뿐이오."

딸그락.

연후는 차를 한 모금 마셨다.

동방리는 그런 연후를 빤히 쳐다봤다. 그러더니 두 손으로 찻잔을 받쳐 들고는 잠시 차향을 음미했다.

수증기가 뒤덮은 그녀의 얼굴은 안개를 뚫고 솟아오른 한 송이 꽃처럼 아름다웠다.

연후도 말없이 그녀를 응시했다.

잠시 묘한 침묵이 흘렀다.

딸그락.

동방리가 찻잔을 내려놓으면서 침묵은 산산이 깨졌다. 그녀가 연후를 직시하며 물었다.

"폭군의 길을 걸으시려는 건 아니겠죠?"

"누군가에게는 폭군이 될지도 모르오."

"방해되는 자들을 말씀하시는 건가요?"

"그렇소."

"솔직하게 말씀해 주시니 고맙네요. 하나만 더 여쭤도 될까요?"

"물어보시오."

"저도 대회의의 일원이 될 수 있을까요?"

"가주가 원한다면 얼마든지 가능하오."

"……!"

연후는 동그랗게 변하는 동방리의 두 눈을 응시하며 흐릿하게 웃었다.

"안 될 거라고 생각했소?"

"……우리 동방세가는 철저히 외면받아 왔으니까요."

동방리의 눈가가 붉게 변해 갔다.

커다란 눈망울에 이슬이 살짝 맺혀 갔다.

"그 전에 조건이 있소."

"……."

"지금보다 훨씬 더 강해져야 할 거요. 철혈가는 물론이고 북부무림의 누구도 감히 무시하지 못할 만큼 강해져야 뒷말이 나오지 않을 거요. 정치적인 입지는 이후의 문제요."

꽉.

상아처럼 흰 치아가 입술을 지그시 눌렀다.

뒤이어 이슬을 머금은 눈망울로 연후를 직시하더니 검을 챙겨 들고는 벌떡 일어섰다.

"수련하러 가요."

"아주 혹독한 수련이 될 텐데…… 자신 있소?"

"걱정 마세요. 지금까지 지옥 밭에서 구르다시피 하며 살아왔으니까……."

* * *

쏴아아.

빗줄기가 장대처럼 굵어졌다.

강풍까지 불어와 수련장 주변의 숲을 마구 흔들어 댔지만 동방리는 눈빛은 고요하기 짝이 없었다.

연후는 그녀의 그러한 눈빛이 마음에 들었다.

그래서 더 혹독하게 가르치기로 마음먹었다. 견뎌 내면 그녀는 고수가 될 것이다.

그것만이 외조부와 어머니의 사랑에 보답하는 것이라 생각했다.

연후는 머릿속에 담겨 있는 수많은 무학들 중에서 동방리에게 적절한 것을 찾아냈다.

천 년의 관문을 깨고 얻은 힘.

그중 하나를 동방리에게 전수할 생각이었다.

"먼저 공력의 정도를 확인해 봐야겠소."

스르릉.

연후는 검을 뽑아 비스듬히 늘어뜨렸다.

"원수라 생각하고 가진 힘을 모조리 쏟아 보시오. 혹시라도 머뭇거리는 기색이 보이면 내가 용서치 않을 것이오."

"알았어요."

챙!

동방리도 검을 뽑았다.

제법 서늘한 기운이 검신을 타고 흘러나와 쏟아지던 빗줄기를 휘어지게 만들어 놓았다.

'제법이군.'

비범한 건 알고 있었지만 이 정도일 줄은 예상하지 못했었다.

쫘르릉.

쩌저적!

천둥과 벼락이 사납게 몰아칠 때, 동방리가 움직였다. 빗줄기를 가르며 날아드는 그녀의 검은 결코 예사롭지가 않았다.

하지만 연후에게는 어린아이의 손짓에 불과했다.

깡!

쐐애액!

까가강!

순식간에 네 번의 공방이 벌어졌다.

"나를 원수라 생각하라 했을 텐데."

"합!"

위이잉!

까강!

또다시 두 번의 공격이 연후의 검에 막히자 동방리는 숨을 고르며 뒤로 물러섰다.

"하아……."

입김이 빗줄기를 헤치며 흘러나왔다.

그사이에 얼굴은 복사꽃처럼 붉어졌고, 가슴도 눈에 띄게 들썩거렸다.

"잠시 숨을 고르시오."

"아뇨. 더 할래요."

동방리가 자세를 바꿨다.

마치 연후의 자세를 흉내 낸 듯 비스듬히 늘어뜨린 검

끝에서 수증기가 피어올랐다.

치이익.

연후의 눈이 이채를 발했다.

'저것까지 익혔나?'

연후도 아는 초식이었다.

동방삼식. 동방세가의 가주들만이 익히는 절예였다.

'나쁘지 않군.'

연후는 검을 들어 동방리의 두 눈을 겨눴다.

그때였다.

"주군."

뒤쪽에서 사마송의 목소리가 울렸다.

연후는 치켜들었던 검을 늘어뜨리며 고개를 돌렸다. 사마송이 수련장으로 뛰어들었다.

"죄송합니다. 워낙 다급한 일이라서……."

"서북무림이 쳐들어오기라도 했소?"

"하북성 서쪽 탁주 인근에서 적랑단과 서북무림 사이에 대규모 전투가 발발했다고 합니다."

꿈틀.

적랑단이 거론되자 눈빛부터 달라지는 연후였다.

주군의 자리에 오르면 포섭할 일순위가 바로 적랑단이었다.

"지금 장로원에 남부방위군 총사가 보낸 전령이 와 있

습니다. 속히 가 보시지요."

연후는 동방리를 돌아봤다.

"오늘은 여기까지 해야겠소."

"예."

* * *

이미 장로원에 모여 있던 수뇌부들이 연후가 들어서자 일제히 자리에서 일어났다.

장천도 그곳에 있었다.

비록 공식적으로 주군의 자리에 오른 것은 아니었지만, 주군을 상징하는 보검에다 선주의 적자라는 이유만으로도 모두의 조아림을 받기에 자격은 충분했다.

"이리로 오시지요."

송겸을 대신해 수석장로 허광(許廣)이 연후를 상석으로 안내했다.

연후는 자리에 앉으며 대전에 서 있는 전령을 응시했다.

허광이 나지막이 외쳤다.

"주군이시다. 예를 갖추지 않고 뭘 하는 게냐."

연후를 처음 보는 전령이 한순간 당황한 기색을 보이며 장천을 힐끗거렸다.

장천이 눈짓을 보내자 그제야 전령은 군례를 취했다.

"충!"

"속히 주군께 소상히 아뢰어라."

"그게…… 며칠 전에 적랑단과 서북무림 간에 전투가 발발했는데……."

전령이 말을 늘어놓기 시작했다.

연후는 묵묵히 귀를 기울였다. 그런 연후를 응시하는 장천의 표정이 좋지 않았다.

조금 전에 보였던 수석장로 허광의 태도 때문이었다.

'대놓고 주군이라 부르다니…… 설마 장로원주가 애송이의 손을 들어주기로 작정이라도 했단 말인가.'

불안감이 치밀었다.

만에 하나 장로원주 송겸이 연후의 손을 들어주기로 작정했다면 차기 주군을 두고 다투는 경쟁에서 자신이 불리할 수밖에 없었다.

'아니다. 그 교활한 늙은이는 절대 섣불리 한쪽으로 치우치지 않는다. 자신이 취할 이득을 위해서라도 중도를 표방하며 나와 애송이를 끝까지 저울질할 위인인데…….'

송겸은 그런 사람이었다.

하지만 그의 심복이라고 할 수 있는 허광의 태도는 뭐란 말인가. 송겸이 허락하지 않았다면 수뇌부들이 있는 공적인 자리에서만큼은 주군이라 아니라 공자라 칭해야

옳았다.

장천의 머릿속이 복잡해질 때, 전령이 말을 마쳤다.

장천은 나지막이 숨을 고르고는 표정과 눈빛을 고친 후 연후를 응시했다.

"사마 가주."

"예, 주군."

"허창 서쪽이 중립지대라고 했소?"

"그렇습니다. 허창에서 서쪽으로 백 리 안쪽까지는 수백 년간 양측이 중립지대로 공인해 온 곳입니다. 말 그대로 우리 것도, 서북무림의 것도 아닌 곳으로, 그 안에서는 어떤 일이 벌어져도 벌에서 개입하지 않습니다."

묵묵히 고개를 끄덕인 연후는 전령에게 물었다.

"교전이 중립지역에서 벌어지고 있다고?"

"예! 만에 하나 우리 지역으로 넘어올 때에 대비해 남부군 전체에 비상령을 발동시켜 놓은 상태입니다!"

"전황은 파악했나?"

"처음 이틀은 적랑단이 밀어붙이는 기세였는데, 이후 서북무림에 지원 병력이 합세하면서 제가 떠나오기 전까지는 매우 팽팽한 국면이었습니다."

연후는 시선을 좌중으로 돌렸다.

"적랑단이 어떤 곳인지는 다들 알고 있을 것이오. 하면 그들이 왜 중립지역에서 서북무림과 충돌했는지 그 이유에 대해 누구든 짐작 가는 바가 있으면 말해 보시오."

모두가 난색을 표했다.

하긴 연후 또한 이유를 짐작조차 할 수 없으니 이상할
것도 없었다.

그때 장천이 조용히 일어섰다.

"허창 서쪽은 절대 뚫려서는 안 될 요충지이니 제가 가
서 상황을 파악해 보겠습니다."

"가주가 직접 말이오?"

"소싯적에 남부군에서 근무를 한 적이 있어 그쪽 사정
에 다른 사람들보다는 밝다고 할 수 있습니다. 군령으로
위임을 해 주신다면 지금 당장 전령과 함께 떠나도록 하
겠습니다."

뜻밖이었다.

저 계산적인 장천이 직접 나서겠다니.

그때였다.

사마송의 전음이 연후의 귓속으로 흘러들었다.

[남부군 총사 마의태는 장천이 오래전부터 공을 들여
온 자입니다. 남부군에도 장천 쪽 인사들이 다수 있는데,
이런 상황에서 장 가주가 가게 된다면 마 총사의 지지를
얻어 내기 위해 무슨 짓을 할지 모릅니다. 허락하지 마십
시오.]

연후는 사마송의 전음을 들으면서도 시선은 장천을 향

하고 있었다.

[쓸 만한 사람이오?]

[정치적인 이해관계 때문에 선주와 사이는 좋지 않았지만 군을 이끄는 능력은 북부군의 윤 총사에 못지않은 사람입니다.]

[알겠소.]

연후는 묵묵히 고개를 끄덕이고는 장천을 향해 말했다.

"직접 수고를 마다하지 않겠다는 가주의 뜻은 고맙게 받아들이겠소. 하나 몸이 편치도 않은 가주를 그 위험한 곳에 어찌 보낼 수 있겠소?"

"거의 다 회복했으니……."

연후는 말을 끊었다.

"안 그래도 북부군에 이어 남부군을 찾아가 위로를 해 줄 계획이었는데, 일이 이렇게 되었으니 그 시기를 앞당겨야 할 것 같소."

꿈틀.

연후는 슬며시 휘어지는 장천의 눈썹을 보며 말을 마무리했다.

"본인이 직접 갈 것이니 가주께서는 요양에 힘쓰도록 하시오. 북부무림의 소중한 자원인 가주께서 하루빨리 완쾌하셔야 모두가 근심을 덜 수 있지 않겠소?"

"……!"

마지막은 전음이었다.

[숙부의 건강을 염려하는 조카의 진심이라 생각하시오.]

*　*　*

어지간해서는 속내를 잘 드러내지 않는 장천의 얼굴이 화로 인해 벌겋게 달아올랐다.

장회가 물었다.

"무슨 안 좋은 일이라도 있었습니까?"

"애송이한테 또 당했구나."

"예?"

"아무래도 내가 놈을 과소평가한 것 같구나."

"대체 무슨 일인데 그러십니까?"

장천은 장로원에서 있었던 일은 짤막하게 설명했다. 설명을 들은 장회는 기가 차다는 듯 잠시 말을 끊었다. 장천은 끓는 속을 애써 달래며 냉수를 한 그릇 마셨다.

장회가 다물었던 입을 열었다.

"가만히 계실 겁니까? 이러다가 남부방위군마저 북부군처럼 그자에게 넘어가면 큰일이 아닙니까?"

"너무 걱정할 거 없다. 마 총사는 선주와 극도로 사이가 좋지 않았다. 아무런 경쟁조차 없이 주군의 적자라는 이유만으로 대공자가 차기 주군의 자리에 오르는 것도 강력히 반대했던 인물이니, 윤회처럼 쉽사리 손을 잡지는 않을 것이다."

"그렇긴 하지만……."

"그래도 미리 손은 써 놔야겠지."

"어떻게 말입니까?"

탁!

장천이 벌떡 일어섰다.

"일단 원주를 만나 봐야겠다."

"저도 같이 가겠습니다."

장천은 송겸의 거처로 향했다.

장로원에서 한참 떨어진 곳에 원주와 장로들의 관사가 있었는데, 그곳은 누구든 함부로 들어갈 수 있는 곳이 아니었다.

하지만 장천에게는 문제가 되지 않았다.

장로원 곳곳에 그의 사람들이 있었고, 경계를 담당하는 병력의 수장도 이미 장천과 끈이 닿아 있는 인물이었다.

* * *

"어서 오시오, 가주."

송겸은 침상에 누운 채로 장천을 맞았다.

장천은 송겸의 창백한 안색부터 살핀 후, 인사를 건넸다.

"좀 어떠하신지요."

"늙어서 그런가 쉽사리 낫지가 않는구려. 하긴 이 나이에 독을 바른 칼을 맞고 숨이 붙어 있는 것만도 다행이지 않겠소? 그나저나 가주는 좀 어떠시오?"

"염려해 주신 덕분에 거의 다 나았습니다."

"다행이구려. 가주께서 다쳤다는 소식을 듣고 다들 걱정이 많았소이다."

상투적인 덕담이 오간 뒤에 송겸은 호위의 부축을 받으며 침상에서 내려왔다.

"그냥 누워계시지요, 원주."

"빨리 회복하려면 힘들어도 조금씩이나마 움직이라고 하더이다. 하물며 귀한 손님이 왔는데 어찌 누워만 있을 수 있겠소?"

송겸이 호위의 부축을 받으며 의자에 앉자 장천도 비로소 맞은편에 앉았다.

"보아하니 그냥 문안차 오신 것 같지는 않고…… 노부에게 하실 말씀이라도 있으시오?"

"여쭐 게 있습니다."

"말씀하시구려."

장천은 한 호흡 쉬었다. 이제 꺼내야 할 말이 아주 중요한 것이어서 표정과 눈빛도 저절로 진중하게 변했다.

"원주의 뜻을 알고 싶습니다."

"노부의 뜻이라…… 너무 추상적인 질문인 것 같소이다. 혹시 차기 주군에 대한 노부의 입장을 말하는 것이오?"

"그렇습니다."

마침 차가 들어오면서 대화가 잠시 중단되었다. 장천은 천천히 차향을 음미하는 송겸을 응시하며 알 수 없는 불안감을 느꼈다.

딸그락.

"노부의 생각은 변한 게 없소."

"하면……."

"누구든 북부무림을 훌륭하게 이끌어 줄 자질과 능력을 보여 준다면 당연히 그를 지지할 것이오."

장천은 내심 안도했다.

그렇다고 송겸의 저 말을 그대로 다 믿을 순 없었다.

"조금 전에 장로원에서 회의가 있었습니다. 그때 수석 장로께서 공자더러 주군이라 칭하는 것을 봤습니다. 해서 저는 원주의 뜻이 정해진 것은 아닌지, 궁금해하던 터였습니다."

"비록 공식적으로 주군의 자리에 오른 것도 아니고 벌의 승인이 떨어진 것도 아니지만, 어쨌든 주군을 상징하는 보검을 지니고 계시니 누구든 주군이라 한들 이상할 게 있겠소? 마찬가지로 공자라 칭해도 전혀 이상할 것이 없으니 호칭 문제는 개개인의 자유에 맡겨 두십시다."

하나도 틀린 말이 아니었다.

그런데도 장천은 여전히 불안감이 가시지 않았다. 왠지 송겸의 분위기가 평소와 다르다는 느낌이 강했던 것이다.

"그나저나 건강이 어느 정도 회복되었으면 그만 들어오셔야 하지 않겠소? 가주의 자리는 누구도 대신할 수 없는 막중한 직책이 아니오?"

"조만간에 복귀하도록 하겠습니다. 그나저나 저잣거리에 이상한 소문이 돌고 있습니다."

"이상한 소문이라니요?"

장천은 연후와 관련된 소문에 대해 간략하게 설명하며 송겸의 반응을 살폈다. 설명을 다 들은 송겸이 묘한 표정을 짓더니 되물었다.

"폭군이 될 상이라…… 가주는 어떻게 보셨소?"

"당연히 헛소문이겠지요. 다만 북부 전선에서 드러났던 잔혹함이 조금 걸리기는 합니다. 목격자들에 의하면 군이 저래도 되나 싶을 정도로 무자비한 모습을 보였다고 들었습니다."

"그 잔혹하고 무자비하게 적을 대하는 모습에 젊은 무사들이 열광하고 있음은 아시오?"

"……."

"어떤 이가 그러더이다. 어쩌면 지금껏 우리가 모셔 보지 못했던 강력한 주군을 뵐 수 있을지도 모르겠다고 말이오. 노부 역시 그 점에 대해서는 일부 공감하고 있소이다."

일부 공감한다는 말에 장천은 태연한 척을 하며 찻잔을 들어 입으로 가져갔다.

'역시 뭔가 이상하다. 평소라면 공감을 하고 있더라도 절대 내색하지 않을 사람인데…….'

송겸을 향한 의문이 점점 더 짙어졌다.

'이러다가 다 쑤어 놓은 죽을 애송이에게 그릇째 바치게 될 수도 있겠구나.'

탁.

장천은 찻잔을 내려놓고 일어섰다.

"누님을 뵈어야 해서 이만 일어나도록 하겠습니다."

"살펴 가시오, 가주."

송겸은 문을 열고 밖으로 나서는 장천의 뒷모습을 응시하며 미간을 좁혔다.

"눈치가 빠른 사람이니 노부의 심경에 변화가 생겼다는 것을 어느 정도는 감지했겠지."

"태연한 척하지만 눈빛이 조금 달라지긴 했습니다."

목소리의 주인은 조금 전에 차를 가지고 들어왔던 무사, 바로 송영이었다.

"그냥 화끈하게 우리 주군을 밀기로 작정했다고 말씀 하시면 될 것을요."

"아직은 때가 아니야. 지금은 차근차근 밟아 나가야 할 때이네."

"도대체 그 때라는 게 언젭니까?"

"기다리게. 무릇 강력한 무력과 무사들의 지지, 더불 어 백성들의 지지까지 삼위일체되었을 때가 진정한 주군 이라 할 수 있네. 그런 의미에서 보자면 아직까지 모두가 인정할 만한 것을 보여 주지 못하셨네. 그러기에는 돌아 오신 지 불과 몇 개월도 되지 않았지 않은가."

"하나는 걱정하지 않아도 되는데……."

"무력 말인가?"

"예. 그건 북부무림이 아니라 북부무림과 적이 될 자와 세력들이 걱정해야 할 겁니다. 그분이 지금까지는 온화 한 모습만 보여 주셔서 그렇지, 저러다가 한번 뚜껑이 열 리면…… 아우."

송영은 말을 하다 말고 몸서리를 쳤다.

송영이 휘둥그레졌다.

"지금…… 온화한 모습이라고 했는가?"

"예. 얼마나 온화하십니까. 아주 그냥 봄바람이 따로 없지 않습니까?"

"……."

송겸은 지금까지 봐 왔던 연후를 떠올렸다. 그러고는 과연 그게 온화한 모습일까, 하고 자문했다.

답은 부정적이었다.

'그게 온화한 모습이라면…….'

지금은 완전히 마음이 기울어졌다지만 처음 봤을 때 연후는 시퍼렇게 벼른 칼, 그 자체였다.

"백야벌에서 주군으로 인정하지 않는 경우도 있습니까?"

"지금껏 역사에서 그런 경우가 몇 번 있었다네. 물론 우리 북부무림은 한 번도 없었지만."

"그럼 어떻게 되는 겁니까?"

"다른 사람을 주군으로 추대해야지."

"예에? 그럼 백야벌이 허락하지 않으면 그날로 나가리가 된다는 말입니까?"

"거의 그렇다고 봐야지. 불허했던 사람이 주군이 된 적은 없었으니까. 너무 말을 많이 했더니 어지럽군. 나를 좀 눕혀 주겠나?"

"아, 예."

송영은 송겸을 침상에 눕혀 주었다.

'뭐가 이렇게 가벼워.'

"자네도 이제 그만 가서 쉬도록 하게."

"그럼 한숨 푹 주무십시오. 저녁쯤에 다시 찾아뵙겠습

니다."

송영은 이불을 덮어 주고는 밖으로 나섰다.

장로원의 무사들이 반갑게 인사를 건네왔다. 송영도 웃으며 화답했다.

처음에는 목적을 갖고 접근했지만 이제는 꽤 친한 사이가 되어 버린 사람들이었다.

송영은 장로원을 나와 북쪽 수련장으로 향했다.

'나도 골치 아프게 머리 쓰는 것보다 무공 교관 같은 걸하면 좋을 텐데.'

그렇게 심드렁하게 몇 걸음이나 걸었을까?

전방에서 장천과 장회가 나타났다. 대부인의 전각으로 향하던 두 사람이 송영을 발견하고는 걸음을 멈췄다.

장천이 대뜸 물었다.

"자네가 송영이라는 친구인가?"

"그런데요?"

"놈! 공손히 굴지 못할까!"

장회가 으름장을 놓았지만 송영은 심드렁한 표정으로 두 사람을 빤히 쳐다봤다.

장천이 말을 이었다.

"나중에 자리를 한번 마련하도록 하지."

"글쎄요. 제가 워낙 바빠 놔서……."

"한가할 때 기별하겠네."

"뭐, 그러시든가요."

장회가 다시 나서려는 것을 장천이 말렸다.

"그만 가 보게."

'언제 봤다고 반말이야, 반말이.'

송영은 한마디 받아치려다가 무시하고 수련장으로 향했다.

그가 사라지자 장천이 묘한 표정을 지으며 중얼거렸다.

"저 친구가 온 이후로 주군가의 소득이 배로 늘었다지?"

"저는 그 이상이라 들었습니다만."

"생긴 것과는 달리 꽤 신통한 재주를 지닌 모양이군."

"들자 하니 주군이 데리고 온 자들이 하나같이 뛰어나다고 하더군요. 저놈도 저놈이지만 그 뭐더라…… 대궁을 쓰는 놈과 무공 교관을 하는 놈의 무력은 소름이 끼칠 정도라고 들었습니다."

"그래 봤자 호위만 할까."

"아…… 그렇군요."

호위란 다름 아닌 철우였다.

장회가 불안한 표정으로 말을 이었다.

"그런 놈들을 더 데려오면 곤란한데 말입니다."

그때였다.

둘의 앞으로 두 청년이 다가왔다.

벽력가의 장로원주를 암살할 때 함께했던 육손과 서위량이었다.

장천이 누군지 알 리가 없는 둘은 아무렇지 않게 장천과 장회의 앞을 지나갔다.

그들을 바라보는 장천의 두 눈이 기광을 번뜩였다.

'이곳에 저런 친구들이 있었나?'

일견하기에 육손과 서위량은 묘한 분위기를 풍기고 있었다. 비범함과는 다소 다른 의미의 분위기였다.

그때 장한 두 명이 다가왔다.

장천이 아는 사람들이었다.

"저기 저 두 명은 누구지?"

"저희들도 잘 모르겠습니다. 다만 며칠 전에 왔는데 주군께서 부리는 사람들이라고만 들었습니다."

"어떤 사람들인지는 모르느냐?"

"예."

"알았으니 그만 가 보게."

장천은 미간을 좁히며 막 모퉁이를 돌아 사라지는 육손과 서위량을 응시했다.

'점점 자기 사람들을 불러 모으겠다…… 이건가?'

장천은 왠지 찝찝했다.

자신의 눈이 틀리지 않았다면 저 두 명도 보통내기는 아님이 확실했다. 이런 식으로 연후의 주변에 고수들이 몰려들면 자신이 불리해질 수밖에 없었다.

"형님, 그만 누님께 가 보시죠. 많이 기다리실 겁니다."

장천은 찜찜함을 안은 채 장영의 거처로 향했다.

* * *

연후는 탁주로 떠날 준비를 하며 내심 고소를 머금었다.

'하루도 쉴 날이 없군.'

당분간은 충분히 시간을 가지며 이후의 정국을 구상할 생각이었다. 하지만 적랑단과 서북무림의 충돌을 지켜볼 수만은 없었다.

그것만큼이나 중요한 것은 윤회가 이끄는 북부군과 더불어 가장 강력한 세력이라 할 수 있는 남부방위군을 자신의 휘하로 끌어들이는 것이었다.

그렇게만 된다면 자신의 부름만 기다리고 있을 수하들을 불러들이지 않고도 장천과의 경쟁에서 우위를 점할 수 있을 것이다.

"철우."

"예."

"넌 쉬는 게 좋겠다."

"괜찮습니다."

"그 몸으로 어딜 간단 말이냐."

"가면서 치료하면 됩니다."

"고집하고는……."

"주군께 배운 겁니다."

"……."

그때 동방리가 들어섰다.

"찾으셨어요?"

"탁주로 갈 테니 준비하시오."

"……탁주요?"

"자세한 것은 가면서 말해 주겠소. 두 식경 후에 정문
에서 봅시다."

"알겠어요."

동방리가 나가자 철우가 물었다.

"동방 가주는 왜 데려가려 하십니까?"

"실전만큼 좋은 수련은 없는 법이다."

"너무 위험하지 않겠습니까?"

"이겨 내야지. 이겨 내지 못하면 나와 함께할 수 없다."

3장

봄바람에 담긴 향기를 조심해라

北天戰記

봄바람에 담긴 향기를 조심해라

두 식경 후.

연후는 철우와 서백을 비롯한 소수의 병력만 대동한 채 철혈가를 나섰다.

백무영과 송영, 육손과 서위량은 본가에 남았다.

그들에게는 연후가 따로 내린 명령이 있었다.

한편, 장천은 철혈가의 정문을 넘어가는 연후의 뒷모습을 바라보며 눈빛을 가라앉혔다.

장회가 회심의 미소를 지으며 말했다.

"차라리 잘됐습니다. 애송이가 자리를 비운 틈을 이용해 이곳을 완전히 장악하면 되지 않겠습니까."

"그걸 모르고 떠났을 거라 보느냐?"

"……예?"

"청룡방주 홍문으로 인해 궁지에 몰렸다가 간신히 빠져나왔다. 그런 나를 이곳에 남겨 두고 떠난다는 것은 뭔가 믿는 구석이 있다는 것이지."

"듣고 보니 그렇군요."

"그 믿는 구석이 뭔지를 먼저 찾아내야 한다. 그게 장로원주든 다른 무엇이든……."

장천은 여전히 찜찜함을 떨쳐 내지 못하고 있었다. 그리고 그 찜찜함은 서서히 불안감으로 바뀌어 가고 있었다.

'분명 감춰 둔 한 수가 있을 것이다. 그게 뭔지 찾아내야 한다. 놈이 돌아오기 전까지…….'

그때 장천의 시야에 정문 앞 광장을 걸어가는 백무영의 모습이 들어왔다.

"저자가 무학관의 교관이라고 합니다."

"당연히 그가 데려온 놈이겠군."

"예. 철혈가에 온 지 얼마 되지도 않았는데 장로원주가 이상하리만큼 잘 대해 준다고 합니다. 주군 이외에는 허락 없이 함부로 들어갈 수조차 없는 장로원도 마음대로 드나들 수 있게끔 따로 명령을 내려놓았다고 하더군요."

꿈틀.

장천의 눈썹이 칼날처럼 휘어졌다.

그는 백무영이 시야에서 사라질 때까지 지켜보다가 장

회에게 지시를 내렸다.

"어디서 무엇을 하다가 온 놈인지 자세히 조사해 보거라. 가능하면 다른 놈들까지 전부 다."

"알겠습니다."

장천은 다시 시선을 연후에게로 돌렸다.

연후는 이미 한 점이 되어 곧고 길게 뻗은 대로의 끝을 지나가고 있었다.

'네가 나를 이곳에 두고 굳이 그 먼 곳까지 가려는 이유를 모를 줄 아느냐? 하지만 이번만큼은 네 뜻대로 되지 않을 것이다, 애송이.'

잠시 생각에 잠겼던 장천은 이내 장회에게 지시를 내렸다.

"지금 당장 남부방위군에 나가 있는 우리 쪽 사람들에게 전서를 보내어 자초지종을 알리고, 이후 애송이의 일거수일투족을 내게 보고하라 전해라."

"알겠습니다."

그때였다.

뒤에서 인기척과 함께 진한 사향이 풍겼다. 돌아보니 대부인 장영이 들어서고 있었다.

"저 왔습니다, 누님."

"뭘 쳐다보고 있는 게냐?"

"천둥벌거숭이가 떠나는 모습을 잠시 지켜보던 중이었

습니다."

"천둥벌거숭이라니. 하면 그런 놈 하나 지금껏 어쩌지 못한 채 전전긍긍하는 너는 뭐라 불러야 되겠느냐!"

장영의 앙칼진 태도에 장천은 옅은 미소를 머금었다.

"놈 때문에 화가 많이 나셨군요."

"지금껏 내게 인사 한번 오지 않았다! 어디 그것뿐인 줄 아느냐? 장로원주는 놈과 짝짜꿍이 되어 내게 지급하던 돈을 절반으로 줄였고 내 유일한 낙인 연회도 두 달에 한 번만 열라는 강제 조항까지 새롭게 만들었다! 누이가 이처럼 무시를 당하는데도 너는 지금껏 무엇을 하고 있었느냐!"

분통이라도 터진 것일까?

눈물까지 글썽거리는 장영의 입에서 침이 튀어 장천의 얼굴을 더럽혔다.

장천은 미간을 좁혔다.

장영의 처지가 이전만큼 호사스럽지 못할 거라는 건 예상하고 있었지만 이 정도일 줄은 몰랐다.

장천은 애써 웃어 보였다.

"너무 걱정하지 마십시오. 지금까지는 세간의 이목을 생각해 양보하고 존중하는 척을 했지만 이제부터는 방법을 바꿀 생각입니다. 하니 저만 믿으시고 조금만 참아 주십시오, 누님."

"형님이 알아서 잘하실 겁니다, 누님."

장회까지 나서자 장영은 그제야 분을 삭이며 자리에 앉았다.

"모처럼 만났으니 식구들끼리 식사라도 같이 하시지요."

"안 그래도 상을 준비하라 일러두었다. 흥! 네가 와서 베푸는 연회인데 그 늙은이가 그것까지 뭐라 하지는 않겠지!"

"그럼요. 저만 믿으시고 아주 거하게 한 상 차려 주십시오. 하하하."

웃음을 터트리는 장천.

하지만 그의 눈빛은 그 어느 때보다 차갑게 내려앉아 있었다.

'송겸, 그자가 결국은 놈의 손을 잡았구나.'

선주 이염의 사후, 철혈가의 재정은 장로원이 전담하고 있었다. 따라서 장영의 돈줄을 끊을 수 있는 권한을 가진 사람은 원주 송겸뿐이었다.

팟.

장천의 동공 깊숙한 곳에서부터 한 줄기 살기가 터졌다.

'스스로 명을 재촉한다면 원하는 대로 해 줄 수밖에. 죽어서도 나를 원망하진 마시오.'

                            *   *   *

　장소는 장천의 외아들이다.

　장천에게 목숨보다 더 소중한 존재인 그는 스물셋의 나
이에도 불구하고 이미 절정을 훌쩍 뛰어넘은 고수였다.

　어려서부터 온갖 영단이란 영단은 모조리 복용하면서
쌓은 공력을 바탕으로 장가의 비전절기, 거기에 선주 이
염의 무공까지 더해지면서 장천을 비롯한 장가의 기대를
한 몸에 받고 있었다.

　많은 이들이 장차 북부무림의 별이 될 거라 칭찬해 마
지않는 장소에게도 약점은 있었다.

　그것은 바로 지나칠 정도로 예민하고 소심한 성격이었
다.

　결벽에 가까운 예민함은 때때로 내면 깊숙이 숨겨 놓
았던 잔혹성을 이끌어 내었고, 그로 인해 꽤 많은 이들이
희생당했다.

　하지만 모든 것은 철저히 비밀에 묻혔고, 북부무림의
많은 이들은 여전히 그의 비범함에 기대와 찬사를 보내
고 있었다.

　그런 장소가 전방을 응시하며 미간을 좁혔다.

　"이건 소똥 냄새가 아니냐?"

"예. 전방의 들판에서 수십 마리의 소들이 풀을 뜯고 있어서 그런 것 같습니다."

호위 무사의 대답에 장소의 얼굴과 두 눈에 짜증이 잔뜩 어렸다.

"다른 길로 가야겠다."

"공자, 이 길이 주군가를 향하는 지름길입니다. 다른 길로 우회하면 하루가 더 걸리게 되니 조금만 참으시지요."

"하루쯤 늦는다고 문제될 건 없으니 시키는 대로 해."

"……예."

호위 무사들은 결국 방향을 좌측으로 틀었다.

기존의 경로에 비해 숲이 우거지고 지형 또한 제법 험난한 곳이었다.

대개 이런 곳은 자객들이 몸을 숨기기에 용이한 곳이라 어지간한 사람들은 피하는 법인데, 스스로의 무력에 자신이 있었던 장소는 조금도 괘의치 않았다. 자신뿐만 아니라 장가에서 가장 뛰어난 호위 무사들도 열 명이나 함께하고 있으니 두려울 것이 없었다.

하물며 이곳은 멀지 않은 곳에 철혈가가 위치한, 북부 무림의 심장과도 같은 곳이지 않은가.

휘이잉.

봄바람이 초목을 간질였다.

마땅히 싱그러워야 할 봄바람이건만 그 속에 섞여 있는 소똥 냄새 때문에 장소는 찡그린 인상을 펴지 못했다.

잠시 후, 우거진 숲을 관통하며 나 있는 소로로 들어서자 비로소 소똥 냄새가 가셨다.

"이제야 좀 살 것 같군."

"공자, 저 앞에서부터는 길이 너무 좁고 가팔라서 잠시 도보로 이동해야 할 것 같습니다."

"땅이 질어서 신발이 더러워질 수도 있으니 갈 수 있는 곳까지는 말을 타고 이동한다."

"……예."

한번 말이 떨어지면 그걸로 끝이었다. 자칫 심기를 건드렸다가 무슨 봉변을 당할지 모르니 아무도 이의를 제기하지 못하는 것이다.

"호위장."

"예, 공자."

"고모님께 드릴 선물은 잘 챙겼느냐?"

"염려 마십시오. 이중삼중으로 잘 봉인을 해 두었습니다."

"그래도 조심해. 세상에 둘도 없는 매우 귀한 것이니까."

"알겠습니다."

소똥 냄새가 가시자 장소는 봄바람을 한껏 들이켜며 주

변 풍경을 구경했다. 다른 곳에 비해 우뚝 솟아오른 암벽이 많고, 곳곳을 화려하게 수놓은 꽃들이 만개한 모습은 가히 절경이었다.

"아쉽군. 그녀와 함께 왔으면 좋았을 것을."

장소는 함께 오지 못한 정혼녀를 떠올리며 아쉬움을 드러냈다.

그렇게 얼마나 이동했을까?

말들이 더 이상 나아가지 못했다.

하루 전까지 내린 비로 인해 진창이 되어 버린 데다 경사가 워낙에 가팔라서 자꾸 미끄러진 탓이었다.

"성가시게, 쯧."

이쯤 되니 장소도 하는 수없이 말에서 내려야 했다. 하지만 그다음이 가관이었다.

호위 무사 한 명이 대나무 껍질로 짜서 만든 무언가를 갖고 와 그의 신발을 감싸기 시작했다. 신발에 진흙이 묻는 것을 방지하기 위함이었다.

이미 이런 상황이 한두 번이 아닌 듯 호위 무사의 손놀림은 아주 능숙했다.

"단단히 묶어야지."

"예, 공자."

장소는 호위 무사의 손길에 두 발을 맡긴 채 암벽을 화려하게 수놓은 꽃으로 시선을 돌렸다.

휘이잉.

마침 꽃향기를 잔뜩 담은 바람이 불었다.

"흐음……."

장소는 지그시 눈까지 감은 채 향기를 음미했다. 그러다가 뭔가 이상함을 느끼고 눈을 뜬 것은 서너 번의 호흡을 할 시간이 지났을 때였다.

동시에 호위장의 날카로운 외침이 터졌다.

"멈춰라!"

전방에 누군가 있었다.

질끈 묶은 머리를 허리까지 늘어뜨린 이십 대 초반의 준수한 청년이었다. 그가 꽃 한 송이를 입에 문 채 이쪽을 쳐다보며 히죽 웃었다.

청년은 바로 육손이었다.

"아까부터 여기 가만히 앉아 꼼짝도 않고 있었는데 뭘 멈추라는 거야."

퉤!

육손은 입에 물고 있던 꽃을 뱉으며 입가에서 웃음기를 거뒀다.

"어이, 거기 너."

그가 가리킨 이는 장소였다.

"네가 장소라는 까칠 덩어리냐?"

장소의 눈빛이 매섭게 변할 때, 호위장이 검을 뽑으며

앞으로 나섰다.

챙!

"네 이놈! 닥치지 못할까!"

"잠깐."

장소가 손을 들어 호위장을 제지했다. 그러고는 육손을 차갑게 응시하며 물었다.

"처음부터 우리를 기다리고 있었느냐?"

"그래도 대갈빡은 좀 돌아가는 모양이네. 맞아, 너희들이 오기를 기다리고 있었어."

그러고는 손을 들어 우측의 들판을 가리키며 씩 웃었다.

"소똥 냄새를 피해 이곳으로 올 줄 알았거든."

채채챙!

의도적으로 기다리고 있었다는 말에 호위 무사들이 일제히 검을 뽑으며 장소의 주변을 둥그렇게 에워쌌다. 하지만 장소는 여전히 태연자약했다.

"너 혼자냐?"

"아니."

그때였다.

"반가워."

좌측 숲이 흔들리더니 한 사람이 불쑥 모습을 드러내었다.

서위량이었다.

"안녕, 까칠 덩어리."

연이은 조롱에 장소의 눈빛에 살기가 담겼다.

그가 천천히 검을 뽑았다.

스르릉.

검신이 검집을 빠져나오면서 반사된 빛이 서위량의 얼굴을 하얗게 물들일 정도였다.

"서북무림에서 왔느냐?"

"서북무림 말고도 너 싫어하는 사람 꽤 많거든."

"……뭐?"

"아니지. 네 아버지를 싫어한다고 해야 맞겠네. 아무튼 잠시 우리와 함께 가 줘야겠다."

스슥.

숲을 헤치며 나선 서위량이 장소 일행의 앞으로 훌쩍 뛰어내렸다. 그러자 육손도 한걸음에 서위량의 곁으로 내려섰다.

휘리릭.

"너 발에 그거 뭐냐?"

육손이 미간을 찡그리며 장소의 발을 가리켰다. 서위량은 고개를 절레절레 흔들었다.

"그럴 거면 집구석에 처박혀서 땅이 마를 때까지 기다렸어야지. 쯧쯧쯧."

"이것들이……."

푹.

말에서 뛰어내리는 장소.

그런데 그의 신발이 진흙을 깊숙이 파고들며 발목까지 잠겼다.

"……!"

장소는 눈빛을 떨었다.

'몸이 왜 이렇지?'

새털처럼 가벼워야 할 몸이 무거웠다. 아니, 무거운 정도가 아니라 마치 몸에 커다란 바윗덩이를 짊어진 것 같았다.

"미리 경고하는데…… 여기서 더 공력을 끌어올리면 단전이 녹아 버릴 수도 있어."

"……!"

"못 믿겠으면 어디 한번 해 보든가."

그때였다.

가장 가까운 곳에 위치했던 호위장이 벼락같이 달려들며 일검을 날렸다.

하지만 그의 검은 금방 궤적이 꺾이고 말았다. 그러고는 하복부를 움켜쥐며 진창에 꼬꾸라졌다.

"크억!"

파르르…….

장소의 눈빛이 다시 세차게 흔들렸다.

그런 그를 향해 육손이 상아처럼 흰 치아를 드러내며 웃었다.

"그러게 봄바람에 담긴 향기를 조심했어야지."

＊　＊　＊

"하하하!"

"호호호!"

장영의 거처에는 웃음소리가 끊이질 않았다.

지금껏 핍박을 받아 왔다고 생각했던 장영은 모처럼의 연회에서 그동안의 분이라도 풀려는 듯 온갖 산해진미로 상을 가득 채웠다.

장천은 그런 장영을 위로해 줄 마음으로 평소보다 더 웃고 즐기는 모습을 보여 주었지만, 속으로는 지금부터 자신이 해야 할 일들에 대한 계획을 치밀하고 정교하게 설계하고 있었다.

'홍문으로 인해 발생한 모든 위험 요소부터 제거한다.'

철혈가에는 아직도 자신과 홍문의 비리에 연루된 자들이 몇 명 남아 있었다. 연후의 태도로 보아 그들의 존재를 모르는 것 같았지만 그럼에도 안심할 수 없었다. 가장 확실한 방법은 그들을 완전히 제거하는 것이었다. 연후가 없고 송겸이 와병 중인 지금이야말로 절호의 기회였다.

"형님, 뭘 그렇게 생각하십니까?"

"아무것도 아니다."

"술 한 잔 받으십시오."

"그러지."

쪼르륵.

장천은 장회가 따라 준 술을 거푸 두 잔이나 꺾었다.

'애송이에게 한 방 얻어맞았다고 여겼는데, 생각을 바꾸니 이렇게 홀가분한 것을…….'

돌이켜 보니 남부로 떠나지 못한 것이 오히려 전화위복의 상황으로 바뀌어 버린 것이다.

"누님도 한 잔 더 하시겠습니까?"

"우리 주군께서 따라 준다면 당연히 마셔야지."

그때였다.

측근 한 명이 문을 열고 들어섰다.

"가주."

"무슨 일이냐?"

"누가 이것을 가주께 전하라 했습니다."

"그래? 그자는 지금 어디 있지?"

"그게…… 이것만 전하고 사라졌습니다."

장천은 슬며시 미간을 좁히며 측근이 건넨 연통의 마개를 열었다.

파르르…….

순간 장천의 두 눈이 심하게 요동쳤다.

연통 속에는 돌돌 말려 있는 서신 하나와 또 다른 것이 담겨 있었는데, 화려하기 짝이 없는 반지였다.

장천의 것과 똑같은 반지였다.

장천은 황급히 서신을 펼쳤다.

반지를 봤으면 대충 상황을 짐작했을 터. 잘난 아들 새끼가 뒈지는 꼴 보기 싫으면 은자 오만 냥을 준비해. 다음 연락은 장가로 보낼 테니 대충 처마시고 눈썹이 휘날리도록 집으로 돌아가는 게 좋을 거야. 아! 혹시 몰라 경고하는데, 허튼수작을 부리면 애새끼 손가락 하나부터 시작할 거야.

바르르…….

장천은 학질에 걸린 사람처럼 전신을 마구 떨었다. 붉게 변한 얼굴 곳곳은 굵은 힘줄이 거미줄처럼 돋아나고 있었다.

"무슨 일입니까, 형님!"

놀라서 다가온 장회도 곧 서신을 확인하고는 찢어질 듯 두 눈을 부릅떴다.

"혀, 형님. 이게 대체 무슨 일이랍니까!"

팟!

화르륵.

서신이 장천의 손에서 한 줌 재가 되어 떨어져 내렸다.

"끄으으……."

장소만큼이나 장천에게도 치명적인 약점이 존재했다.

아들 장소를 향한 무한한 사랑.

바로 그것이었다.

* * *

철혈가를 나선 이후, 이틀 동안 거의 쉬지도 않고 강행
군을 한 연후는 말의 움직임이 둔해지자 비로소 휴식을
지시했다.

"드십시오."

연후는 서백이 건넨 술로 목부터 축였다.

그러고는 동방리에게 한 모금 하겠냐고 물어보기 위해
그녀를 찾다가 피식 웃었다.

그녀가 직접 챙겨 온 술을 병째 마시는 것을 본 것이
다.

사마송이 다가왔다.

당초 철혈가에 남아 장천을 경계하려 했던 사마송은 연
후가 같이 가자는 말에 어쩔 수 없이 따라나섰다.

"한 모금 하시겠소?"

"감사합니다."

"아직도 외숙이 걱정되시오?"

"예. 아무리 생각해도 제가 남아 있는 것이 좋을 뻔했습니다. 원주님마저 거동이 불편한 상황이라 혹시라도 장가주가 수상한 짓을 해도 제동을 걸어 줄 사람이……."

사마송은 말끝을 흐리며 연후가 건넨 술을 제법 많이 마셨다. 연후는 그 모습을 보며 흐릿하게 웃었다.

"걱정 마시오. 그는 아무것도 하지 못할 거요."

"어째서 그럴 거라 확신하시는지요? 혹시 대책을 세워 두신 겁니까?"

"물론이오. 설마하니 대책도 없이 유일하게 외숙을 견제할 수 있는 사마 가주를 대동했을 것 같소?"

"그 대책이라는 것…… 제가 알면 안 되는 것입니까?"

"좀 치사한 방법이라 지금 말하기는 좀 곤란하오. 어차피 나중에 돌아가면 다 알게 될 테니 궁금해도 참으시오."

"예?"

치사한 방법이라는 말에 사마송은 궁금증이 열 배는 더 커졌다. 하지만 연후가 뒤로 벌러덩 드러눕는 바람에 더 묻지 못하고 원래의 자리로 돌아갔다.

묘하게도 대책을 세워 놓았다는 말을 듣자 근심걱정이

싹 가셨다.

'말 한마디에 근심걱정이 눈 녹듯 사라지다니…… 내가 주군에게 빠져도 단단히 빠졌구나.'

쓴웃음을 지으며 고개까지 절레절레 흔든 사마송은 동방리의 옆에 자리를 잡고 앉았다.

나무에 등을 기댄 채 먼 곳을 바라보며 생각에 잠긴 그녀의 모습에, 사마송은 말을 건네려다 말고는 풀숲에 드러누웠다.

한편, 동방리는 남쪽에 던져 놓았던 시선을 들어 하늘을 올려다봤다.

찍으면 그대로 손끝에 묻어날 것 같은 창천(蒼天)에 솜털 같은 구름이 유유히 떠다니고 있었다. 살랑살랑 불어오는 봄바람은 모든 것을 놓아 버리고 싶은 충동마저 불러일으켰다.

동방리는 바람이 쓸어내린 머리카락을 걷어 내며 연후를 돌아봤다.

풀이 길어서 얼굴은 보이지 않고 무릎 위에 올려놓은 다리만 보였다.

연후를 쳐다보고 있자니 그를 만난 이후부터 지금까지의 모든 일들이 주마등처럼 스쳐 지나가며 그녀를 상념의 늪으로 밀어 넣었다.

'지옥 같은 나날이었는데…….'

동방세가의 위엄은 사라진 지 오래였다.

그저 살아남기 위한 처절한 사투의 연속이었다. 그 와중에 죽어 간 식솔들도 결코 적지 않았다.

만약 연후를 만나지 못했더라면.

아니, 연후가 철혈가로 돌아오지 않았더라면 자신들의 삶은 지금도 지옥에서 헤어 나오지 못했을 것이다.

'아직까지는 나쁘지 않아.'

처음에는 연후에 대한 불신이 컸다.

친인척의 득세를 막겠다는 미명하에 동방세가를 철저히 외면했던 선주 이엄에 대한 원망이 그대로 연후에게 투영되었기 때문이다.

하지만 연후는 생각과 달랐다.

적어도 지금까지는.

휘이잉.

동방리는 얼굴을 간질이는 봄바람을 한껏 들이켰다.

그때였다.

[당신에게 일각은 다른 이들의 평생일 수도 있소. 하니 멍하니 있지 말고 상상 수련이라도 하시오.]

"……!"

동방리는 연후를 돌아봤다.

하지만 그의 얼굴은 여전히 수풀에 가려 보이지 않다.

[아직 아무런 초식도 배우지 못했어요.]

* * *

'그랬군. 하다가 말았으니까.'

연후는 동방리의 전음에 쓴웃음을 지었다.

수련을 막 시작하려던 터에 적랑단과 서북무림의 충돌 소식을 듣고 바삐 움직였으니까.

[동방삼식은 완벽히 깨우쳤소?]

[완벽하다고 할 수는 없지만······.]

[무엇이든 완벽해야 할 거요.]

더 이상의 대답은 없었다.

연후는 하늘을 응시했다.

어제까지 짙게 흐렸던 하늘이 오늘은 마치 가을 하늘처럼 높기만 했다.

'잘되어 가고 있나 모르겠네.'

연후는 소무백을 떠올렸다.

그가 어떻게 되느냐에 따라 자신의 행보도 달라질 터였다. 만약 그가 별 탈 없이 대지존의 권좌에 오르게 된다면 자신은 그야말로 날개를 다는 셈이나 마찬가지였다.

'대업을 위해서라면 무엇이든 이용한다.'

연후는 나지막이 숨을 고른 다음 몸을 일으켰다.

"이동하시겠습니까?"

"쉴 만큼 쉬었으니 움직여야지."

"알겠습니다."

철우가 모두를 향해 외쳤다.

"이동하겠소."

이동이 재개되었다.

이번에도 이틀은 하루 한 끼에 조금의 휴식조차 없는 강행군이었다.

연후는 철저히 전마의 상태에 행군 속도를 맞췄다. 전마가 지치면 휴식을 취하고 아니면 그대로 이동하는 식이었다.

덕분에 닷새가 흐른 뒤에는 목적지에서 하루 떨어진 곳까지 이동할 수 있었다.

사마송이 전방을 가리키며 말했다.

"저곳이 마지막 도시입니다."

"그럼 저곳에서 밤을 보내도록 합시다."

"알겠습니다."

모두는 도시로 향했다.

사마송이 입을 열었다.

"서북무림과 가까운 곳이지만 교통이 발달된 곳이라 천하로 향하는 상인들이 대부분 저 도시를 거쳐 간다고 보시면 됩니다. 아, 남부방위군의 가족들도 상당수 저 도시에 터전을 잡고 있습니다."

"서북무림이 공격을 하거나 하지는 않소?"

"아직까지는 남부방위군의 위세가 막강해서 공격을 당한 적은 없습니다. 다만 선주께서 떠나신 이후로 움직임이 심상치 않다는 보고가 종종 올라오긴 했습니다."

연후는 사마송의 설명을 들으며 도시의 초입으로 들어섰다.

멀리서 보는 것과는 달리 도시의 저잣거리는 매우 번화했다. 상당한 넓이를 자랑하는 길 양쪽으로 수많은 객잔들이 줄지어 늘어서 있었고, 거리에도 각양각색의 복장을 한 사람들로 넘쳐 났다.

중원에서는 쉽사리 볼 수 없는 색목인들도 제법 눈에 띄는 것을 보면 확실히 사마송의 말처럼 천하의 상인들이 거쳐 가는 곳임에 틀림없었다.

"오늘 밤은 돈을 아끼지 말고 다들 배불리 먹이도록 하시오."

"알겠습니다. 하면 객잔부터 잡도록 하겠습니다."

사마송이 지시를 내리자 무사 한 명이 먼저 말을 몰아 저잣거리로 뛰어들었다.

잠시 후, 연후와 일행들이 거리로 들어서자 오가던 사람들이 힐끗힐끗 쳐다보며 좌우로 갈라졌다.

연후는 사람들의 눈빛과 표정만으로 저들이 무사들을

매우 두려워하고 있음을 알 수 있었다.

"마 총사가 이곳까지 관할하고 있소?"

"예, 그렇습니다."

"사람들을 혹독하게 다루는 모양이군."

"어째서 그리 생각하십니까?"

"보시오. 다들 우리를 두려워해 제대로 쳐다보지도 못하고 피하느라 바쁘지 않소?"

사마송이 빙그레 웃었다.

"혹독하게 다루는 것이 아니라 기강을 엄격하게 세워서 저러는 것입니다. 마 총사는 무사가 아닌 평민들에게도 평소에 군사훈련을 시켜 왔습니다. 만에 하나 아군이 열세에 몰리면 전장에 투입을 할 목적으로 예비군을 양성하는 것이지요."

'예비군이라…….'

귀가 솔깃했다.

이 부분은 자신도 미처 생각하지 못한 부분이었다.

'어떤 자인지 점점 더 궁금해지는군.'

한편으로는 의문도 점점 커졌다.

사마송의 말을 들어 보면, 마의태는 꽤 능력이 있는 인물인 것 같았다. 그런 그가 아버지와는 왜 사이가 좋지 않았던 걸까?

아버지가 사람을 보는 눈이 부족했을까? 아니면 사마

송이 마의태를 잘못 보고 있는 것일까?

연후는 전자라 짐작했다.

만약 아버지가 사람을 보는 안목이 뛰어났더라면?

'적어도 북부무림이 이 지경까지 이르진 않았을 테지.'

연후는 상념을 떨쳐 내며 나지막이 숨을 토해 냈다. 그 때였다.

"멈추시오!"

돌연 전방에 한 무리의 무사들이 나타났다. 가슴 한복판에 '북부(北部)'라는 글씨가 수놓인 무복을 걸친 이십 대 중반의 청년 무사들이었다.

보나마나 남부방위군 소속의 무사들이리라.

연후는 무사들의 전신을 빠르게 훑었다.

'제법이군.'

마음에 들었다.

눈빛은 물론이고 자세부터가 제대로 배운 티가 확연히 느껴졌다.

사마송이 앞으로 나섰다.

"남부방위군 소속인가?"

"여긴 함부로 무기를 소지한 채 활보할 수 있는 곳이 아니오! 하니 귀하들의 정체부터 밝히시오!"

무사들은 연후 일행을 전혀 몰라봤다. 그도 그럴 것이 철혈가나 북부무림을 상징하는 어떤 표식도 없었기 때문이다.

"나는 주군가의 사마세가를 이끌고 있는 가주 사마송
이다."

"헛!"

"충!"

"충!"

무사들이 놀라 황급히 군례를 취했다.

사마송이 말을 이었다.

"주군이시다. 예를 갖춰라."

* * *

끝없이 펼쳐진 산악 지대가 한눈에 내려다보이는 산봉
우리에 중무장을 한 두 명의 중년인이 나란히 서 있었다.

남부방위군 총사 마의태와 부관 곽홍이었다.

휘이잉!

절벽 아래에서부터 치고 올라오는 바람이 제법 매서웠
지만 산악 지대에 던져 놓은 마의태의 눈동자는 조금도
흔들림이 없었다.

그가 바라보는 곳은 북부무림과 서북무림의 중립지대
였다.

우거진 숲이 끝없이 펼쳐져 있어 그 아래 뭐가 있을지

직접 가 보지 않고서는 알 수가 없는 상황임에도, 마의태는 뭔가를 찾는 듯 정광마저 번뜩였다.

곽홍이 입을 열었다.

"오늘은 조용한 것 같습니다."

"지금껏 미친듯이 싸웠으니 쉴 때도 되었지. 그나저나 정찰병이 돌아올 때가 되었는데 다소 늦는 것 같구나."

"조금만 더 기다려 보시지요."

그때였다.

뒤쪽에서 중무장을 한 장한 한 명이 올라섰다. 곽홍이 무사를 돌아보며 물었다.

"무슨 일이냐?"

"후방에서 총사께 전서를 보내왔습니다."

"이리 내거라."

곽홍은 장한이 건넨 전서를 받아 마의태에게 내밀었다. 마의태는 즉각 연통을 열어 서신을 펼쳤다. 순간 그의 미간에 굵은 주름이 생겨났다.

"좋지 않은 소식입니까?"

"이공자가 오셨다는구나."

"이공자가 말입니까?"

"그래. 한데 사마 가주가 그를 두고 주군이라 칭했다는 군. 하면 나도 모르는 사이에 차기 주군이 결정되었다는 것인가?"

마의태의 얼굴에 노기가 드리웠다.

곽홍이 고개를 저었다.

"그럴 리가 있겠습니까. 감히 총사님께 알리지도 않고 차기 주군을 정한다는 것은 결코 있을 수 없는 일입니다. 아무래도 뭔가 잘못 전해진 것 같습니다."

"잘못 전할 것이 따로 있지. 그나저나 사실이라면 참으로 이상한 일이구나. 사마 가주는 성정이 강직하여 아무리 선주의 적자라도 함부로 주군이라 칭하지 않을 사람인데……."

마의태의 시선이 전서를 가져온 장한을 향해 돌아갔다.

"너는 휴가를 다녀온 지 며칠 되지 않았으니 그곳 사정을 좀 들었겠구나."

"예."

"말해 보거라."

장한이 말을 이었다.

"이공자께서 돌아오신 직후 장로원주께서 선주의 적자를 예우하는 차원에서 보검을 내드렸는데, 이공자가 그것을 무기로 스스로 주군을 참칭한다고 들었습니다."

꿈틀.

꿈틀.

마의태의 눈썹이 칼날처럼 휘어졌다.

"장로원주가 이공자에게 보검을 내줬다는 말이 사실이냐?"

"예. 틀림없이 그렇게 들었습니다."

"장로원주가 노망이 난 모양이구나! 정식으로 주군의 자리에 오르지도 않은 사람에게 주군을 상징하는 보검을 내주다니! 그러니 사마 가주가 주군이라 칭하는 것이 아니냐!"

마의태가 두 눈에 다시 노기가 어렸다.

장한이 다른 말을 꺼냈다.

"이상한 소문도 나돌고 있습니다."

"소문이라니."

"그게…… 과거 선주께서 이공자를 쫓아내셨을 때 아무도 말리지 않은 것을 두고 이공자가 앙심을 품어, 주군의 자리에 오르면 피의 숙청을 할 것이라는 소문이 이미 파다하게 퍼져 있습니다. 벌써 청룡방주 홍문이 공자에 의해 뇌옥에 감금되었다는 말도 들었습니다."

"청룡방주 홍문이 누군가?"

곽홍이 대신 말하고 나섰다.

"북부 지역의 권세가인데 선주와 정치적인 문제로 사이가 좋지 않았던 사람입니다. 그리고 차기 주군으로 장가의 가주를 적극 지지하는 것으로 들었는데…… 공자가 그를 뇌옥에 가둔 것이 사실이라면 결코 좋은 의도는 아닌듯합니다."

"장가의 가주를 의식했다고 봐야겠군."

"아무래도 그렇게 봐야 할 것 같습니다."

마의태는 잠시 침묵을 지켰다.

장한은 그의 눈치를 보며 무슨 말인가를 더 하려다가 입술만 달싹거렸다.

장보라는 이름을 가진 그는 장가 출신으로 오래전부터 이곳 남부방위군에서 근무하고 있었다. 물론 이곳에서 장천의 귀와 눈 역할을 하고 있었다.

"너는 그만 돌아가 보거라."

"예."

돌아서는 장보의 얼굴에 아쉬움의 빛이 드리웠다. 마치 더 하고 싶은 말이 있었는데 다하지 못한 것처럼.

곽홍이 조심스럽게 입을 열었다.

"공자가 이곳에는 왜 왔을까요?"

"내일 만나 보면 알게 되겠지."

"속하가 한 말씀 드려도 되겠습니까?"

"말해 보거라."

"조금 전 그 친구는 장가 출신입니다. 하니 그가 말한 것만 가지고 편견을 가지실 필요는 없을 것 같습니다."

"이놈아, 나도 그 정도는 알고 있느니라."

"……죄송합니다."

마의태는 미간을 좁히며 먼 곳으로 시선을 던졌다. 곽홍은 말없이 마의태를 응시했다.

그는 내심 걱정했다.

'선주께서 돌아가신 이후로 정치와는 담을 쌓은 분인데……'

곽홍은 연후가 이곳에 찾아온 목적을 어렴풋이 짐작했다. 연후가 장천과 차기 주군의 자리를 두고 정쟁을 벌이고 있다는 것쯤은 이곳까지 이미 소문이 나 있었다.

물론 세세한 것까지 전해진 바는 없지만 대충은 돌아가는 상황을 짐작하고 있었다.

하지만 워낙 그러한 것에 관심이 없는 마의태라 괜히 말했다가 심기만 거스를까 두려워 다들 쉬쉬하고 있을 뿐이었다.

마의태가 입을 열었다.

"대공자가 그립구나."

"……"

"그는 누구보다 뛰어난 자질을 갖추고 있었다. 마땅히 선주의 뒤를 이어 북부무림의 주군이 되어 줄 거라 기대했다. 하나 무능한 선주 때문에 채 피어 보지도 못한 채 지는 것을 보고는 억장이 무너지는 것 같았다."

"대공자를 향한 총사의 마음이 어땠는지 저희 모두는 잘 알고 있습니다."

"그날 이후로 나는 선주에 대한 기대를 완전히 접었다. 뿐만 아니라 주군가인 이씨 가문과의 연도 완전히 끊었다. 또한 장가는 물론이고 차기 주군이 되고자 하는 자들과의 연마저도 모조리 끊어 버리고, 이곳을 내 삶의 마지막 터전으로 여겼다."

격정에 찬 어조였다.

곽홍은 묵묵히 귀를 기울였다.

"다시 말하지만 누구든 이곳을 정쟁의 수단으로 삼고자 한다면 용서치 않을 것이다. 그게 이공자라도 마찬가지다."

곽홍은 내심 한숨을 쉬었다.

'지지 세력을 확보하고자 한다면 누구라도 남부방위군을 가장 먼저 포섭 대상으로 삼을 텐데…….'

마의태의 바람과는 달리 정쟁의 바람은 이곳까지 불어올 것이 확실했다. 곽홍은 그런 날이 도래했을 때의 마의태가 걱정되었다.

'하아…….'

"부관."

"예, 총사."

"내가 왜 이 말을 하는지 이해하였느냐?"

"우매한 속하를 깨우쳐 주십시오."

"흔들리지 말라는 말이다. 누가 무슨 말로 현혹해도 우리 남부방위군은 중립을 지켜야 한다. 알겠느냐?"

"명심하겠습니다."

마의태가 돌아섰다.

곽홍은 조용히 옆으로 물러서며 물었다.

"호칭은 어떻게 하는 것이 좋겠습니까."

"이공자를 말하는 것이냐?"

"예."

"호칭이 중요한 문제라고 보느냐?"

"사마 가주를 비롯해 함께 온 모두가 주군이라 칭하며 따르고 있습니다. 이런 상황에서 우리가 공자라 칭한다면 자칫 장 가주를 지지하는 것으로 비쳐질 수도 있습니다."

"흠."

마의태의 미간에 굵은 주름이 잡혔다.

누구보다 정쟁에 휘말리고 싶지 않은 그인지라 곽홍의 말을 예사로 듣고 넘겨 버릴 수는 없었다.

곽홍이 말을 이었다.

"보검을 지니고 계신다는 것은 최소한 주군 대리로서의 자격은 충분하다고 생각합니다. 따라서 이후 정쟁에 휘말리지 않으려면 주군이라 칭하는 것이 좋을 듯합니다."

"후환이 두려워 벌의 승인도 받지 않은 공자를 주군이

라 칭하자는 것이냐!"

마의태가 노기를 드러냈다.

하지만 곽홍은 오히려 빙그레 웃으며 말을 이었다.

"그런 뜻이 아니라는 것을 잘 아시지 않습니까. 속하는 그저 총사께서 이후 혼탁한 정쟁에 휩쓸리지 않기를 바라는 마음에서 드린 말씀입니다."

"그 문제는 생각을 해 봐야겠다."

결국 마의태는 답을 주지 않고 먼저 돌아섰다.

곽홍은 앞서 걸어가는 마의태의 뒷모습을 응시하며 내심 한숨을 내쉬었다.

'조금만 더 유연하시면 좋을 텐데…….'

* * *

다음 날.

마의태는 곽홍을 비롯한 수뇌부들을 대동하고 목책까지 나가 연후가 오기만을 기다렸다.

연후의 방문이 내키지 않았지만 최소한의 도리는 해야 함이 마땅하다 여긴 것이다.

곽홍은 호칭 문제를 한 번 더 물으려다가 일단 참기로 했다.

그렇게 시간이 흐르기를 반 시진쯤 되었을까?

서북쪽에서 군영으로 곧장 이어지는 길 위에 한 무리의 인마가 드디어 모습을 드러내었다.

마의태를 비롯한 모두는 표정과 눈빛을 고치고 다가오는 인마를 주시했다.

마의태의 묵직한 목소리가 뒤를 이었다.

"주군가의 보검을 지니셨으니 공자가 아니라 주군이라 칭해야 할 것이다."

"예!"

"……!"

장보를 비롯한 몇 명을 빼고는 대부분이 당연하다는 듯 대답했다.

곽홍은 내심 안도의 숨을 내쉬었다.

연후와의 첫 만남부터 불편해질 수도 있다는 불안감이 눈 녹듯 사라진 것이다.

'다행이다.'

그때였다.

인마 한 기가 앞서 달려오기 시작했다.

두두두!

말을 몰아 달려온 사람은 사마송이었다.

그는 마의태를 향해 인사부터 건넸다.

"오랜만입니다, 총사."

"오랜만입니다, 가주."

"어서 오십시오, 가주님."

곽홍을 비롯한 수뇌부가 사마송을 향해 머리를 조아렸다. 서열상 사마송은 마의태와 동급이었고 주군가인 철혈가의 수뇌부였기에 깍듯하게 대할 수밖에 없었다.

"주군께서는 먼저 살펴볼 곳이 있어 잠시 늦겠다 하셨습니다."

사마송이 뜻밖의 말을 꺼냈다.

마의태가 의아한 표정으로 물었다.

"어디로 가셨는지 여쭤봐도 되겠습니까?"

"죄송합니다. 그건 제게도 말씀을 해 주시지 않아서……."

"흠. 이곳 상황이 워낙 험악하여 혹시라도 안전에 문제가 생길까 걱정입니다만, 가주의 표정이 너무도 밝으신 것을 보니 호위들을 많이 대동하신 것 같습니다."

"예. 든든한 호위들이 함께하고 있으니 너무 걱정하지 마십시오, 총사."

"알겠습니다. 하면 들어가시지요."

대화를 나누는 와중에 함께 온 무사들이 다가왔다.

사마송은 마의태의 뒤를 따르며 군영 곳곳을 살폈다. 그의 두 눈에 감탄의 빛이 내려앉는 데까지 걸린 시간은 지극히 짧았다.

'역시…….'

오가는 무사들의 눈빛과 자세부터가 확실히 달랐다. 또

한 휴식을 취하고 있는 무사들조차도 기강이 제대로 서
있음을 느낄 수 있었다.

'장천이 공을 들일 만도 하구나.'

사마송은 새삼 깨달았다.

연후를 위해서라도 이곳 남부방위군의 지지가 반드시
필요하다는 것을.

* * *

휘이잉.

연후는 바람을 타고 전해지는 비릿한 혈향(血香)에 잠
시 걸음을 멈췄다.

"제가 가서 확인하겠습니다."

서백이 먼저 뛰어나갔다.

그리고 잠시 후 돌아와서 보고했다.

"시신의 수가 수백을 넘어가는 것을 보니 하루 전쯤에
꽤 큰 전투가 벌어졌던 것 같습니다. 한데 좀 이상합니
다."

"뭐가."

"직접 보시겠습니까?"

연후는 곧장 숲을 헤치고 나섰다. 그리고 곧 수백 구의
시신이 나뒹구는 참혹한 현장을 마주했다.

서백이 입을 열었다.

"시신들의 복장을 보십시오. 적랑단을 상징하는 표식을 한 시신 수십 구를 제외하면 대부분이 제각각입니다."

확실히 이상했다.

시신들이 서북무림의 병력이라면 당연히 서북무림을 상징하는 표식이 있어야 했는데, 어떤 시신에서도 표식은 찾아볼 수가 없었다.

연후는 미간을 좁히며 중얼거렸다.

"서북무림이 용병을 쓴 건가?"

"아! 그럴 수도 있겠군요."

서백의 두 눈이 동그래질 때였다.

펑!

서쪽 하늘에서 한 발의 폭죽이 터지더니, 시뻘건 연기가 허공을 붉게 물들이며 퍼져 나갔다.

4장

염라대제보다 무서운 사람의 분노

염라대제보다 무서운 사람의 분노

　연후는 재빨리 폭죽이 터진 곳으로 몸을 날렸다.

　한 식경쯤 달렸을까?

　도무지 끝이 없을 것만 같던 우거진 숲이 끝나고 드넓은 초지가 나타났다.

　까가강!

　콰지직!

　"크악!"

　"크아악!"

　초지 위에서 전투가 벌어지고 있었다.

　가슴에 적랑이라는 글씨를 수놓은 핏빛 무복을 걸친 자들과 서북무림을 상징하는 표식을 지닌 자들이었다.

　연후는 살펴보기 용이한 나무 위쪽으로 훌쩍 뛰어올랐다.

"오호! 치열한데요?"

서백의 말처럼 전투는 치열하다 못해 혈전에 가까웠다.

수적으로는 서북무림이 훨씬 많았지만 전황은 어느 한 쪽의 손을 들어줄 수 없을 정도로 팽팽했다. 오히려 피를 뿌리며 쓰러지는 자들은 서북무림 쪽이 더 많은 것 같았다.

'집단전에 특화된 움직임이군.'

연후는 적랑단의 전술에 내심 감탄했다.

얼핏 보면 마구잡이로 싸우는 것 같은데, 자세히 들여다보니 유기적인 움직임으로 적의 공격력을 최소화하며 날카로운 반격으로 상당한 전과를 올리고 있었다.

'뭐지?'

무심히 전장을 응시하던 연후가 기광을 번뜩인 것은 전장의 한쪽에서 두려움에 떨고 있는 한 무리의 사람들을 발견했을 때였다.

저마다 각양각색의 복장을 한, 스무 명 남짓한 청년들이었다. 그들을 보고 있자니 조금 전 이곳에 오기 전에 발견했던 의문의 시신들이 떠올랐다.

'설마…….'

한 줄기 의문이 뇌리를 스치고 지나갔다.

연후는 의문을 오래 품는 성격이 아니었다.

"서백."

"예, 주군."

"가서 저들을 정체를 확인해 봐. 교전에 개입은 하지 말고."

"알겠습니다."

서백이 바람처럼 날아갔다.

그는 한창 교전이 벌어지고 있는 전장을 빙 둘러서 청년들이 있는 곳으로 접근했다.

지켜보던 철우가 미간을 좁히며 말했다.

"저들의 분위기를 보아하니 아무래도 납치를 당한 것 같습니다."

연후는 묵묵히 고개를 끄덕였다.

그도 같은 생각을 하고 있었던 것이다.

"만약 저들이 근처 도시에서 살던 북부무림의 청년들이라면……."

철우가 말끝을 흐리며 미간을 더 좁혔다.

청년들이 위치한 곳을 감안하면 저들을 납치한 쪽은 서북무림이 아니라 적랑단이라고 봐야 했다.

서북무림이 납치를 했다면 청년들은 서북무림의 병력 뒤쪽에 있어야 했다.

'이러면 곤란한데…….'

철우는 눈빛을 가라앉혔다.

만약 저 청년들이 북부무림의 청년들이라면 문제는 심각해진다.

적랑단은 연후가 포섭 대상 일순위에 올려놓은 세력이었다. 한데 그들이 북부무림의 청년들을 납치했다면 포섭 대상이 아니라 적이 될 수밖에 없었다.

철우는 연후를 힐끗 쳐다봤다.

'아무리 적랑단이 대업 완수에 절대적으로 필요한 세력이라도 그냥 넘어갈 분이 아닌데…….'

연후의 성격을 누구보다 잘 알고 있는 철우는 제발 저 청년들이 북부무림과는 상관이 없기를 바라며 서백이 돌아오기만을 기다렸다.

잠시 후, 서백이 돌아왔다.

"북부무림의 청년들이었습니다! 서북무림이 저들을 납치해서 끌고 가다가 적랑단에 발각되어 저 사달이 난 모양입니다!"

'후우…….'

철우는 내심 안도했다.

"도와야 하지 않겠습니…… 어?"

서백이 말을 하다 말고 눈이 동그래졌다.

연후가 허공을 가르고 있었던 것이다.

"형님은 몸도 성치 않으니 그냥 여기 계세…… 어라?"

철우도 연후를 쫓아 몸을 날렸다.

"하여간에 성질머리 하고는."

서백은 어깨에 메고 있던 대궁을 내렸다. 그러고는 시
위에 살을 올려놓으면서 특유의 웃음을 지었다.

씨익.

"어느 놈 대갈통을 먼저 날려 볼까."

* * *

관량(關良)은 적랑단의 천인대장으로 단주 관백의 조카
다.

뛰어난 무력에 용맹함까지 갖추고 있어서 관백의 신임
이 두터움은 물론이고, 수하들의 존경까지 한 몸에 받고
있는 인물이었다.

비록 나이는 어리지만 풍부한 실전 경험을 바탕으로 한
뛰어난 전술전략으로 지금껏 수많은 전투에서 승전을 거
둬 오면서 슬하에 자식을 두지 않은 관백의 뒤를 이어 적
랑단의 차기 단주로 각광받고 있었다.

그러한 관량의 얼굴이 마치 그 옛날의 명장 관우를 보
듯 붉게 변해 있었다.

작전 지역으로 향하다가 맞닥뜨린 서북무림의 병력과
이미 두 번째 전투를 치르는 중이었다.

쐐액!

퍽!

"크악!"

적의 머리를 베어 낸 관량은 상대적으로 가장 많은 적이 몰려 있는 곳으로 몸을 날렸다.

그는 한 마리 호랑이였다.

거칠 것이 없었고, 물러설 줄도 몰랐다. 그저 보이면 베고 쓰러지면 그다음 적을 향해 돌진할 뿐이었다.

퍼퍽!

"크악!"

"크아악!"

관량은 피를 뒤집어쓴 채로 적들을 향해 달려들었다. 그런 그의 기세에 압도당한 적 몇 명이 감히 맞서지 못하고 뒤로 물러섰다.

퍼퍽!

"끄악!"

"크아악!"

관량을 피해 물러서던 적들이 피를 뿌리며 꼬꾸라졌다. 그 뒤에서 거구의 적이 한 마리 곰처럼 모습을 드러내며 쩌렁쩌렁 외쳤다.

"적을 앞에 두고 뒤로 물러서면 내 손에 죽는다! 돌진해라!"

둘의 시선이 허공을 격하고 얽혀 들었다.

씨익.

거한이 이를 드러내며 웃었다.

"생각 없이 여기까지 잘도 쫓아왔구나. 흐흐흐."

거한의 대부(大斧)가 관량의 미간을 향해 천천히 올라갔다.

관량은 숨을 고르며 검을 늘어뜨렸다.

"그 말은 일부러 패한 척을 해서 우리를 끌어들였다는 것인가?"

"아니면 도적 떼 따위가 두려워 피할 우리 서북무림이 아니지. 흐흐흐."

그때였다.

좌우측 숲에서 한 무리의 병력이 쏟아져 나왔다.

대략 백여 명쯤 될까?

하나같이 사납기 짝이 없는 기세를 풀풀 풍기는 서북무림의 병력이었다. 특히 앞 선에 포진한 몇 명의 중년인들은 눈빛부터가 고수의 냄새를 풍기고 있었다.

파르르…….

관량은 눈빛을 떨었다.

거한의 말처럼 유인작전에 걸려든 것이다.

'빌어먹을…….'

위기였다.

가뜩이나 수적으로 열세였는데, 백여 명이 합세한다면

살아서 빠져나가는 것조차 장담할 수 없는 상황이었다.

거한이 대부로 관량을 겨누며 한마디 더 했다.

"관량, 네놈의 목을 잘라 관백에게 전해 주마!"

"후우욱."

관량은 크게 심호흡을 했다.

'피할 수 없다면 우두머리부터 죽여 버릴 수밖에.'

그는 거한부터 죽이기로 결심했다.

만만치 않아 보이지만 전력을 다하면 충분히 목을 벨 수 있을 거라 자신했다.

우우웅.

관량의 검이 울기 시작했다.

바로 그때였다.

"……!"

관량은 두 눈을 부릅떴다.

자신의 목을 베어 숙부에게 전해 줄 거라 호언장담하던 거한의 목이 뎅강 잘려 솟구쳐 오르는 것을 본 것이다.

부릅뜬 관량의 두 눈에 한 사내의 모습이 선명하게 맺혔다.

'누구지?'

그때였다.

한 줄기 냉혹한 음성이 관량의 귓속으로 흘러들었다.

[몰살을 당하고 싶지 않거든 즉시 북동쪽으로 병력을

물리시오.]

* * *

거한의 목을 무참히 베어 버린 연후는 잠깐의 틈을 이용해 전장을 살폈다.

좌우측 숲에서 뛰쳐나온 서북무림의 병력이 합류하려면 아직 조금의 시간이 남아 있었다.

'놈들이 합류하기 전에 물러가야 한다.'

연후는 뒤를 돌아봤다.

마침 서백이 대궁으로 한 명의 머리를 후려갈기고는 다가오고 있었다.

"서백."

"예, 주군!"

"놈들이 제때 합류하지 못하게 시간을 끌어 줘야겠다."

"알겠습니다."

쾅!

땅을 박차고 뛰어오른 서백은 주변에서 가장 높은 나무로 올라가 전장을 향해 맹렬히 달려드는 서북무림의 병력을 향해 화살을 겨눴다.

타앙!

시위를 떠난 화살이 선두의 중년인을 노리며 섬전처럼

날아갔다.

"흥!"

중년인은 코웃음을 치며 수중의 검으로 화살을 후려쳤다.

동시에 서백이 웃었다.

씨익.

"그럴 줄 알았다."

쾅!

"크악!"

폭음과 함께 화살을 후려친 중년인이 피를 뿌리며 꼬꾸라졌다. 그런 중년인의 가슴에 커다란 구멍이 뻥 하고 뚫려 있었다.

타앙!

또다시 한 발의 화살이 날아갔다.

동료가 참혹하게 죽어 가는 것을 본 다른 중년인은 화살을 쳐 내지 않고 몸을 틀어 피했다.

서백이 다시 웃었다.

씨익.

"역시 예상을 벗어나지 못한단 말이지. 후후후."

퍽!

"크악!"

"끄악!"

중년인의 바로 뒤를 쫓아오던 두 명이 동시에 단말마의 비명을 내지르며 꼬꾸라졌다.

화살 한 발로 두 명을 꺼꾸러뜨린 것이다.

쐐애애액!

이번에는 화살 두 발이 동시에 날아갔다.

쾅쾅!

폭음과 함께 달려들던 서북무림 무사들의 코앞에서 자욱한 연기와 함께 불기둥이 치솟았다.

미처 피하지 못한 몇 명이 무복에 불이 붙은 채 휘청거렸고, 나머지는 난데없는 상황에 더 이상의 전진을 포기한 채 뒤로 물러섰다.

"됐어."

서백은 뒤를 돌아봤다.

철우가 청년들과 함께 막 북동쪽으로 빠지는 것이 보였다.

연후는 보이지 않았다.

"끄아악!"

"크아악!"

서백은 죽음이 난무하는 전장 한복판으로 시선을 돌렸다.

모습은 찾아볼 수 없었지만 서백은 저곳에 연후가 있을 거라 확신했다.

한 줄기 빛이 번뜩이면 어김없이 잘린 머리가 솟구쳐 올랐고, 뒤를 이어 피안개가 허공을 자욱하게 물들이고 있었다.

씨익.

"새끼들. 적랑단하고나 싸울 것이지 왜 죄 없는 북부무림의 사람들은 납치해 가지고…… 그 바람에 너흰 염라대제보다 더 무서운 분의 분노를 산 거야."

* * *

추풍낙엽이라는 말로는 부족한 도살(屠殺)이자 도륙(屠戮)이었다.

'뭐야, 저거…….'

관량은 연후에게서 도무지 시선을 뗄 수가 없었다. 그의 정체에 대한 궁금증보다는 눈앞에서 벌어지고 있는 잔혹한 광경이 그를 사로잡아 버린 것이다.

[애꿎은 수하들을 모조리 죽일 셈인가?]

또다시 흘러드는 냉혹한 목소리.

그때 백인대장 두 명이 다가왔다.

"저자들이 누군지 아십니까?"

"나도 모른다."

관량은 비로소 연후에게서 시선을 뗐다. 그러고는 북동

쪽을 가리키며 명령했다.

"저쪽으로 퇴각한다."

"예? 지금 퇴각이라 하셨습니까?"

측근들의 두 눈이 휘둥그레졌다.

그들이 알고 있는 관량은 죽을지언정 결코 적을 앞에 두고 물러설 사람이 아니었다.

"내 고집 때문에 너희들마저 죽일 순 없다. 서둘러라."

"……예!"

"알겠습니다!"

* * *

관량은 수하들과 함께 전장에서 십 리 정도 떨어진 곳까지 퇴각했다. 그들이 멈춘 곳은 북부무림의 권역이었다.

그 와중에도 적의 추격이 있었지만 큰 피해는 없었다. 관량은 자신들보다 먼저 와 있는 청년들을 돌아봤다. 그들의 앞에 철우가 서 있었다.

관량은 마치 또 한 명의 연후를 보는 것 같은 착각에 휩싸였다. 둘의 분위기가 너무나도 비슷했기 때문이다.

관량은 정중한 어조로 물었다.

"혹시 북부무림에서 오셨소?"

철우는 고개를 끄덕여 대답했다.

관량은 더 묻지 않았다. 더 물어봤자 대답을 할 철우가 아님을 알아본 것이다.

관량은 연후가 오기만을 기다렸다.

그리고 잠시 후, 서백이 먼저 바람처럼 떨어져 내렸다.

'엄청난 궁술이었다.'

전장에서 똑똑히 보았다.

서백의 궁술에 서북무림 지원 병력의 발이 묶이는 것을.

'북부무림에 이렇게 젊은 고수들이 있었나?'

관량의 머릿속에는 북부무림의 고수들에 관한 정보가 상당히 많이 들어 있었다. 하지만 어디에도 철우나 서백 같은 젊은 고수에 대한 정보는 없었다.

그때였다.

연후가 숲을 헤치며 모습을 드러내었다.

경공술이 아닌 그저 평범한 걸음걸이로 숲을 헤치며 나서는 그에게서 관량은 숨이 턱턱 막힐 것 같은 위압감을 느꼈다.

연후는 관량을 힐끗 쳐다보고는 청년들에게로 먼저 다가갔다.

"다들 괜찮나?"

"저희는 무사합니다만 다른 사람들이 꽤 많이……."

대답을 하던 청년이 눈시울을 붉혔다.

연후는 먼저 봤던 시신들을 떠올리며 나지막이 숨을 골랐다.

"자초지종은 나중에 듣기로 하지."

연후가 돌아서려고 하는 그때 한 청년이 외쳤다.

"뉘신지 모르나 구명지은에 감사드립니다!"

서백이 나섰다.

"우리 북부무림의 주군이시다."

"……!"

모두가 크게 놀랐다.

관량과 적랑단도 마찬가지였다.

연후는 그제야 관량을 향해 돌아섰다. 연후가 북부무림의 주군이라는 말에 크게 놀라고 있었던 관량은 재빨리 표정을 고치며 포권을 취했다.

"적랑단의 관량이라고 합니다. 구명지은을 입었습니다. 이 은혜 결코 잊지 않을 것입니다."

"고마워할 거 없소. 당신들을 구한 것이 아니라 저 청년들을 구하고자 싸운 것이니까."

"……."

"내 말은 당신들의 전쟁에 개입을 한 것이 아니니 오해는 말라는 뜻이오."

천하에 떠도는 말이 있었다.

적랑단은 누구든 자신들의 전쟁에 개입하는 것을 거부하며, 만에 하나 함부로 개입하면 즉시 적으로 간주한다는 내용이었다.

적랑단을 포섭해야겠다고 생각하고 있는 연후로서는 굳이 그들의 불문율을 깨고 싶지는 않았다.

연후는 한마디 더 했다.

"덕분에 저들이 목숨을 구할 수 있었소. 이 빚은 추후 갚도록 하겠소."

관량은 청년들을 구하기 위해 싸운 것이 아니라는 말을 하려다가 도로 삼켰다. 연후가 돌아섰기에 말할 기회를 놓친 것이다.

그런 관량의 귓속으로 연후의 무심한 목소리가 흘러들었다.

"건투를 빌겠소."

관량은 숲속으로 사라지는 연후 일행을 응시하며 나지막이 숨을 골랐다.

"후욱."

백인대장 하나가 말했다.

"소문에 철혈가의 이공자가 돌아와 장천과 주군의 자리를 두고 다툰다고 하던데, 바로 저 사람인가 봅니다."

소문은 관량도 들어서 알고 있었다.

하지만 모두 헛소문이라 여겼다. 천하인들 대부분이 장

천을 차기 북부무림의 주군으로 생각하고 있었고 관량도 마찬가지였다.

'장천이 늑대라면 저자는 호랑이다.'

"대장, 저기를 보십시오."

백인대장이 절벽의 맞은편을 가리켰다.

그곳에 서북무림의 병력이 하나둘 모습을 드러내고 있었다.

그들이 나타나자 관량의 눈빛이 언제 그랬냐는 듯 활활 타오르기 시작했다.

하지만 지금은 참아야 할 때였다.

"어쩌죠? 본진으로 가려면 다시 중립지대로 뛰어들어야 하는데 저 새끼들 쪽수가 너무 많습니다."

"방법은 차차 생각하고 부상자들부터 돌보도록 해."

"알겠습니다."

"이곳에서 잠시 쉬면서 전열을 정비한다."

"예!"

관량의 명이 떨어지자 적랑단의 무사들은 보란 듯이 휴식에 들어갔다. 서북무림의 무사들은 그런 적랑단을 향해 욕설을 퍼부으며 적개심을 드러냈지만 중립지대를 벗어나지는 않았다.

그곳을 벗어나 북부무림의 권역으로 뛰어드는 순간, 적랑단뿐만이 아니라 가까운 곳에 있는 북부무림의 남부방위군까지 상대를 해야 하기 때문이었다.

관량은 수하가 건넨 술로 목을 축였다.

벌컥벌컥!

단숨에 한 병을 비운 관량은 새카맣게 몰려든 서북무림에도 아랑곳 않고 풀밭에 그대로 드러누웠다.

"한숨 자야겠으니 특별한 일이 아니면 깨우지 말도록 해."

"알겠습니다. 푹 주무십시오!"

백인대장들이 서로를 쳐다보며 웃었다.

지금의 이러한 태도가 관량의 진정한 모습이었다.

* * *

남부방위군 사령막.

마의태와 사마송이 찻잔을 가운데 두고 마주 앉았다. 둘은 이런저런 대화를 나누며 연후가 오기를 기다렸다. 대화를 하는 와중에 사마송은 새삼 마의태의 속내를 깨달았다.

주군의 가문인 철혈가와 선주 이염에 대한 좋지 않은 감정이 여전히 남아 있다는 것을.

'굳이 내가 나설 필요는 없다. 오직 주군께 맡기면 될 일이다.'

사마송은 담담하게 찻잔을 기울였다.

"가주께 하나 여쭐 것이 있습니다만."

"말씀하십시오, 총사."

"주군과 관련한 소문이 돌고 있다 들었습니다. 혹시 알고 계십니까?"

"예, 저도 들었습니다."

사마송은 빙그레 미소를 머금었다.

그는 마의태가 연후를 주군이라 칭한 것에 내심 크게 기뻐했다. 혹시라도 공자라 칭하게 된다면 문제가 발생할 소지도 충분한 상황이었다.

"주군께서 권좌에 오르면 폭군이 될 것이며 머지않아 서북무림과 전쟁이 벌어질 거라는 등등…… 아마 여기까지 전해진 것보다 더 해괴한 것들이 많을 겁니다. 허허허."

"하면 헛소문이라 믿어도 되겠습니까?"

"물론입니다. 총사께서도 나중에 뵈면 깨닫게 되겠지만 우리 주군은 결코 그러실 분이 아닙니다. 다만 적을 대함에 있어 손속에 사정을 두지 않으시어 다소 과하게 부풀려진 측면은 인정해야겠지요. 그리고……."

사마송은 말끝을 흐리며 차를 한 모금 마셨다. 마의태는 찻잔에 손길도 주지 않은 채 사마송의 뒷말을 기다렸다.

사마송이 말을 이었다.

"누군가 의도적으로 헛소문을 퍼트렸을 거라는 의심도 배제할 순 없는 상황입니다."

"장가를 의심하십니까?"

"충분히 그럴 만하니까요. 아! 이곳에 장가 쪽 사람들도 꽤 있다고 들었는데, 혹시 그들이 정치적 행동을 일삼는 것은 아닌지 모르겠습니다."

그 말에 마의태는 단호하게 부정했다.

"그런 일은 결코 없습니다. 지금껏 군영의 분열을 조장할 수도 있는 정치적 언행은 강력하게 엄단을 해 왔습니다."

"총사라면 당연히 그리하셨겠지요."

그때였다.

곽홍의 목소리가 흘러들었다.

"총사, 곽홍입니다."

"들어오게."

곽홍이 막사 안으로 들어섰다.

"주군께서 오고 계십니다. 곧 있으면 군영으로 들어서실 것 같습니다."

"알겠네."

곽홍은 사마송과 함께 막사를 빠져나가는 마의태의 뒷모습을 응시하며 부디 아무 일도 벌어지지 않기를 기도했다.

〈148〉 북천전기 3

                    *   *   *

마의태는 군영의 정문에 이르러 목책 너머를 응시했다.

숲에서 군영으로 향하는 길 위에 수십 명의 사람들이 걸어오는 것이 보였다.

"저분이 주군이십니까?"

마의태는 선두에서 걸어오는 연후를 가리켰다.

"예, 그렇습니다."

"호위를 많이 대동하셨습니다."

"아닙니다. 호위는 단 두 명뿐이었습니다."

사마송은 대답을 하며 눈을 동그랗게 치떴다. 연후와 함께 간 사람은 철우와 서백뿐이었다.

한데 연후의 뒤로 거의 서른 명은 됨 직한 사람들이 걸어오고 있었다.

'설마 서북무림의 포로들인가?'

사마송은 의문을 뒤로한 채 연후가 다가오기를 기다렸다. 그리고 잠시 후, 얼굴을 알아볼 수 있는 거리까지 다가왔을 때, 먼저 군영을 나섰다.

다만 마의태와 남부방위군의 수뇌들은 자리를 지켰다. 어떠한 경우에라도 군의 수뇌들은 군영을 벗어나지 않는 것이 북부무림의 철칙이었다.

사마송이 물었다.

"주군, 저들은 누굽니까?"

"서북무림에 납치되었던 우리 쪽 사람들이오."

"……!"

"자세한 건 들어가서 말합시다."

"예, 어서 드시지요."

연후는 군영의 정문을 향해 걸으면서 모여 있는 사람들을 하나하나 살폈다. 그러다가 마의태의 얼굴에 이르러 시선을 고정시켰다.

"남부방위군 총사 마의태가 주군을 뵙니다."

"만나서 반갑소, 마 총사."

"하면 막사로 모시겠습니다."

마의태가 두 손으로 막사를 가리키며 슬쩍 길을 터 주었다. 뒤에서 그 모습을 지켜보던 곽홍은 내심 안도의 숨을 쉬었다.

마의태가 너무나도 자연스럽게 연후를 향해 주군이라 칭했던 까닭이다.

'후우…….'

* * *

잠시 후, 연후는 마의태의 막사에서 수뇌들과 함께했다.

연후는 자리에 앉기가 무섭게 마의태를 직시하며 냉랭한 어조로 물었다.

"주변 도시의 치안도 남부방위군이 맡고 있소?"

"그렇습니다. 사방 오십 리 안쪽의 도시와 고을들은 모두 저희 소관입니다."

"하면 여러 도시에서 우리 쪽 사람들이 서북무림에 납치되었다는 사실을 알고 있었소?"

"……!"

마의태의 표정이 확 변했다.

그것으로 보아 그도 금시초문임이 분명했다.

"나와 함께 온 사람들이 그들 중 일부였소."

"일부라 하시면……."

"꽤 많은 이들이 놈들에게 끌려다가다 무참히 목숨을 잃었소."

파르르…….

마의태의 눈빛이 가늘게 흔들렸다.

한편, 연후의 분위기가 심상치 않아 보이자 사마송은 크게 당황스러웠다.

연후가 마의태에게 납치 사건의 책임을 물으려 함이 틀림없어 보였다.

"하면 누구를 벌해야겠소?"

연후의 목소리는 차갑게 내려앉은 눈빛만큼이나 서릿

발 같은 냉기를 품고 있었다.

"당연히 총사인 제게 책임이 있습니다. 사실이라면 마땅히 제가 벌을 받을 것입니다."

"총사!"

곽홍이 놀라 두 눈마저 부릅뜰 때, 연후가 그를 돌아보며 싸늘히 일갈했다.

"부관 따위가 끼어들 자리가 아니다."

"……죄송합니다, 주군."

연후는 다시 마의태를 직시했다.

"이 사건에 대한 책임은 마땅히 총사가 져야 할 것이오. 하나 멀지 않은 중립지대에서 서북무림과 적랑단 간에 전쟁이 벌어지고 있으니 상황을 참작해 처벌은 잠시 보류하겠소."

마의태는 고개를 숙인 채 입을 굳게 다물고 있을 뿐, 아무런 변명도 하지 않았다.

"그럼 보고를 시작해 보시오."

그 말에 마의태가 고개를 들어 연후를 바라봤다.

"비록 중립 지역인 데다 우리와 상관없는 세력과의 전쟁이라지만, 서북무림은 우리와 같은 하늘을 이고 살아갈 수 없는 불구대천의 원수이니 당연히 최소한의 정보 활동은 해 왔을 게 아니오?"

비로소 연후의 말뜻을 이해한 마의태가 특유의 간결한

어조로 입을 열었다.

"예. 개전 이후로 정찰조를 이용해 정보를 수집해 오고 있는 중입니다. 하면 지금까지 확보한 정보에 대해 말씀 올리겠습니다."

마의태가 보고를 시작했다.

보고가 이어지는 동안에 곽홍은 연후의 표정을 틈틈이 살펴 가며 내심 놀람을 금치 못하고 있었다.

'세상에 이런 위압감이라니⋯⋯.'

* * *

마의태와의 첫 만남을 마친 연후는 사마송, 동방리와 마주 앉았다. 그 자리에서 사마송은 이해할 수 없다는 표정으로 물었다.

"왜 그러셨습니까?"

"뭘 말이오?"

"마 총사를 너무 모질게 대하셨지 않습니까."

"당연히 물어야 할 책임을 따졌을 뿐이오. 그리고 무능한 자의 지지는 필요 없소."

"납치 사건은 당연히 마 총사의 책임이나, 그렇다고 그가 무능한 것은 절대 아닙니다. 중립지대에서 벌어지고 있는 전쟁에 온 신경을 쏟느라 그런 일이 벌어진 것이 아니겠습니까.”

연후는 찻잔을 입으로 가져갔다가 조용히 내려놓으며 사마송을 직시했다.

“가주의 마음은 알겠소. 하지만 조금은 더 지켜봐야 할 것 같으니 이 문제는 그만합시다.”

“…….”

사마송은 어쩔 수 없이 말문을 닫았다.

그는 연후의 의도가 궁금했다. 한편으로는 강한 의문도 들었다.

‘설마 마 총사의 지지를 얻기 위해 오신 것이 아니란 말인가?’

동방리 역시 사마송과 같은 의문을 품었다.

그때였다.

“주군, 접니다.”

서백의 목소리였다.

“들어와.”

서백이 막사 안으로 들어왔다.

“지시하신 대로 호위를 할 병력을 붙여 모두 살던 곳으로 돌려보냈습니다.”

“수고했다.”

연후는 자리에서 일어났다.

“군영을 둘러봐야겠소. 두 분도 같이 갑시다.”

"예, 주군."

"예."

막사를 나선 연후는 군영을 한눈에 내려다볼 수 있는 곳을 찾았다. 멀지 않은 곳에 첨탑이 있는 것을 발견하고는 곧장 그곳으로 향했다.

사마송이 물었다.

"군영은 어떻게 보셨습니까?"

"팔괘를 바탕으로 군영 전체를 매우 견고하게 잘 꾸린 것 같소. 이 부분은 충분히 인정하고 있소."

잠시 후, 첨탑에 다다른 연후의 앞으로 무사들이 다가왔다.

"충!"

"올라가도 될까?"

"예! 오르십시오!"

연후는 사다리를 통해 첨탑에 올랐다. 그곳에서 경계를 서고 있던 무사들이 그를 향해 군례를 올리며 머리를 조아렸다.

"충!"

"수고한다."

무사들을 다독여 준 연후는 군영 전체를 살피기 시작했다. 위에서 내려다보니 군영 전체에서 풍기는 견고함이 확실하게 다가왔다.

'이 정도면 북부군단과 비교해도 손색이 없군.'

그때였다.

"화살이 형편없네요. 이런 걸로는 적의 하급 무사도 맞히지 못할 것 같은데, 쯧쯧쯧."

경계병들이 쓰는 활과 화살을 살펴보던 서백이 미간을 찡그렸다.

"그 정도로 형편없나?"

"예. 촉의 형태가 옛날에 쓰던 형식이라 사정거리도 짧고 명중했을 때 파괴력도 현저하게 떨어질 수밖에 없습니다."

서백의 말에 연후는 무사를 돌아보며 물었다.

"무기는 어디서 공급하지?"

"몇몇 도시에 저희들이 쓰는 무기를 생산하거나 고치는 대장간이 몇 곳 있습니다."

"서백."

"예, 주군."

"네가 직접 대장간에 가서 장인들을 가르치도록 해."

"지금 바로 갈까요?"

"물론이다."

"예! 알겠습니다! 그럼 하는 김에 다른 병기들도 손을 보도록 하겠습니다!"

서백에게는 뛰어난 궁술 말고도 하나의 특기가 더 있었

다. 그것은 바로 세상의 온갖 무기에 정통하다는 점이었다.

서백이 무사들을 향해 말했다.

"누구 한 사람 나하고 같이 가 줘야겠는데?"

아무도 나서지 않고 망설일 때 연후가 한 무사를 지목했다.

"같이 가도록 해."

"죄송하지만…… 경계 근무 중에 자리를 비울 순 없습니다."

"총사에게는 내가 말해 주지."

"……."

무사가 여전히 망설이자 서백이 인상을 그렸다.

"어이. 지금 주군의 명을 거역할 셈이야?"

"……알겠습니다. 그 전에 드릴 말씀이 있습니다."

"뭐지?"

"구해 주신 사람들 중에 제 동생이 있었습니다. 주군께서 구해 주신 덕분에 유일한 혈육을 잃지 않게 되었습니다. 이 은혜, 죽는 그날까지 결코 잊지 않겠습니다."

"보답은 이미 받았다."

"……예?"

"네가 지금껏 이곳에서 적과 맞서 싸워 준 것만으로 보답은 충분하니 어서 가 봐."

"예!"

결국 무사는 서백과 함께 첨탑을 내려갔다.

연후는 그런 무사의 뒷모습을 응시하며 내심 만족했다.

'기강 하나는 제대로 세워 놨군.'

서백이 무사와 함께 도시로 떠나고 두 식경쯤 지났을까?

땡땡땡!

갑자기 종소리가 요란하게 울렸다.

연후는 무사에게 물었다.

"이게 무슨 종소리지?"

"비상을 알리는 종소리입니다!"

"비상?"

"예! 가끔 서북무림이 중립지대를 벗어나 우리의 권역으로 들어서는 일이 벌어지곤 하는데, 그때마다 병력을 출동시켜 쫓아내곤 했습니다!"

무사의 말처럼 군영 정문에 병력이 모이고 있었다.

"수고해라."

"충!"

연후는 첨탑을 내려와 정문으로 향했다.

언제나처럼 철우가 유령처럼 나타나 그의 곁을 함께했다.

"넌 남아서 부상이나 돌보도록 해."

"움직이다 보면 저절로 낫게 되어 있습니다."

"하여간에 고집은."

"주군께 배운 겁니다."

"……."

연후는 동방리를 응시했다.

그가 뭐라 말하기도 전에 그녀가 나섰다.

"경험이 중요하다 하셨으니 저도 갈게요."

"위험할 수도 있소."

"그 정도 각오는 하고 있어요."

"알겠소."

잠시 후, 연후와 철우는 정문에 이르렀다.

백여 명의 병력이 출동 준비를 갖춘 채 누군가를 기다리고 있었다.

마침 마의태와 곽홍이 모습을 드러내었다.

연후를 발견한 마의태가 다가오며 말했다.

"서쪽 지역에 서북무림의 병력 일부가 권역을 침범했다고 합니다."

"총사도 가시오?"

"예. 이번에는 병력이 제법 된다고 하여 아무래도 제가 직접 가 봐야 할 것 같습니다."

"좋소. 그럼 같이 갑시다."

"주군께서는 그냥 군영에 남아 계시는 것이 좋겠습니

다. 쌍방 간에 충돌이 벌어져 봤자 작은 규모에 불과할 터이니 굳이 주군께서 직접 나서실 필요는 없을 것 같습니다. 또한 주군께서 이곳에 오셨음을 적들이 안다면 이후, 무슨 짓을 할지 모를 일입니다."

"내 걱정은 하지 마시오. 그나저나 이들이 정예요?"

"예. 이런 상황에 대비해 오래전부터 정예화시켜 놓은 아이들입니다. 하나같이 일당백의 무력에 풍부한 실전 경험까지 갖추고 있습니다."

연후는 운집한 무사들을 천천히 살폈다.

저마다 눈빛이 살아 있는 것을 보니 혹독한 수련을 거쳤음을 알 수 있었다.

"실력이야 직접 보면 알게 될 테고…… 어서 갑시다."

연후는 먼저 정문을 나섰다.

마의태는 묘한 눈으로 연후의 뒷모습을 응시하다가 이내 그의 뒤를 따랐다.

곽홍이 무사들을 향해 외쳤다.

"출진이다!"

* * *

"우리를 잡겠다고 중립지대를 벗어나다니…… 북부무림은 안중에도 없다는 건가?"

관량은 북부무림의 권역으로 들어서는 적들을 응시하며 미간을 좁혔다.

그들은 거침없이 북부무림의 권역을 침범하고 있었다.

"놈들이 이번 기회에 대장을 어찌해 보겠다고 작정을 한 모양입니다."

"흠……."

관량은 난감했다.

적의 수가 많아도 너무 많았다. 얼핏 봐도 자신들의 네 배는 되어 보였다. 게다가 지금껏 보지 못했던 새로운 자들도 있었다.

'경공술만 봐도 고수인데…….'

싸우면 필패다.

그렇다고 물러나자니 두 번씩이나 꼬리를 빼는 형국이라 내키지가 않았다. 그건 지금껏 쌓아 올린 명성을 스스로 무너뜨리는 것이나 다름없었다.

"싸웁니까?"

"아니."

"예? 하면 또 물러서잔 말씀입니까?"

"모래성만도 못한 명성 때문에 개죽음을 당할 순 없다. 끝까지 살아남아 단주님을 도와드려야 한다. 그게 우리의 대의다."

"……알겠습니다."

결국 관량은 퇴각을 결정했다.

속이 썩어 문드러질 것 같았지만 수하들을 위해서 어쩔 수 없는 선택이었다.

관량은 북동쪽으로 시선을 던졌다.

'놈들도 여기서 더 깊숙한 곳까지는 절대 쫓아오지 못할 터.'

여기서 조금만 더 올라가면 북부무림의 군영이었다. 수하들의 안전을 위해서라면 가장 확실한 선택지였다.

"모두 북동쪽으로 움직인다."

"예!"

파파팟!

관량과 적량단의 무사들이 일제히 북동쪽을 향해 몸을 날렸다.

잠시 후, 그들이 머물렀던 곳에 서북무림의 병력이 들이쳤다. 그들을 이끄는 자는 유난히 머리가 큰 초로의 노인이었다.

그는 막 시야에서 빠져나가는 관량의 뒷모습을 노려보며 싸늘히 중얼거렸다.

"무슨 일이 있어도 오늘 네놈의 목만은 반드시 베고 말 것이다, 관량."

"여기서 더 올라가면 북부무림의 군영인데…… 괜찮겠습니까?"

"걱정할 거 없다. 어차피 놈들은 확전이 두려워 지금껏 해 온 것처럼 우리를 봐도 지켜만 볼 것이다. 뭣들 하느냐, 쫓아라!"

"예!"

파파팟!

* * *

막 산봉우리을 넘어가려던 연후는 산 아래에서 벌어지고 있는 추격전을 목격하고는 손을 들어 모두를 멈춰 세웠다.

마의태가 다가왔다.

"무슨 일입니까?"

"저 아래를 보시오."

마의태는 연후가 가리킨 곳을 내려다보고는 두 눈을 치떴다.

"아군의 정찰병들이 적에 쫓기고 있는 모양입니다."

"아군이 아니라 적랑단이오."

"그걸 어떻게……."

"납치된 사람들을 구할 때 마주쳤던 자들이오."

마의태의 두 눈이 더 커졌다.

산봉우리에서 쫓기는 자들까지의 거리는 공력이 심후한

그조차도 얼굴을 분간할 수 없을 정도로 상당히 멀었다.

그래서 그도 처음에는 정찰에 나섰던 수하들이 쫓기는 거라 생각한 것인데, 놀랍게도 연후는 한눈에 그들을 알아본 것이다.

'아무리 공력이 심후해도 이 거리에서 얼굴을 알아볼 순 없다. 그저 복장만으로 짐작한 것이겠지.'

"총사."

"예."

"지금껏 놈들이 권역을 침범하면 어떤 식으로 대처했소?"

"대부분이 우리가 대응을 하지 않으면 그냥 돌아갔습니다."

"그냥 내버려 뒀단 말이오?"

"놈들이 원하는 것은 전쟁의 명분입니다. 만약 우리가 대응해서 사상자가 발생하면 그것을 침략의 이유로 삼고도 남을 자가 위연광입니다."

"전쟁이 두렵소?"

"전쟁은 결코 두렵지 않으나 수많은 이들의 희생은 두렵다 못해 무서운 것이지요. 하물며 우리보다 훨씬 더 강성한 서북무림이니 무대응은 저희가 할 수 있는 최선의 선택이었습니다."

"계속 그런 식으로 약한 모습을 보이니까 애꿎은 사람들이 납치되어 목숨을 잃는 참극이 벌어진 것이 아니겠소?"

"……."

마의태의 얼굴이 굳어졌다.

납치 사건은 그에게 입이 열 개라도 변명의 여지조차 없는 상처이자 씻지 못할 치욕으로 남아 있었다.

"총사를 탓할 생각은 없소. 하나 지금 이 순간 이후부터는 적이 도발을 해 오면 무조건 대응토록 하시오. 적에게 아군 한 명이 희생당하면 두 명을 죽이고, 두 명이 희생당하면 열 명을 죽여서 보복하겠다는 각오로 나서야 적도 더는 우리를 무시하지 못할 것이오."

"적이 원하는 것이 그것입니다, 주군."

"적이 원하는 것은 바로 총사의 그러한 두려움이오. 전쟁을 원하면 언제든 맞붙어 주겠다는 각오가 되어 있음을 보여 줘야 적도 생각을 달리할 거요. 평화란 일방적으로 두들겨 맞아 가면서 참는 것이 아니라, 우리를 건들면 너희들도 크게 다친다는 경고를 심어 주었을 때 비로소 얻을 수 있는 것이오."

"……!"

순간 마의태는 연후가 주군이 되면 서북무림과 전쟁이 벌어질 거라는 소문을 떠올렸다.

처음 장보를 통해 들었을 땐 헛소문이라 치부했지만 지금 연후의 태도를 보니 결코 헛소문이 아님을 깨달을 수 있었다.

'북부무림을 맡기기엔 너무 위험한 사람이다. 결코 혈기만으로 북부무림을 통치할 순 없다.'

편견을 갖고 연후를 보지 않았으면 한다는 곽홍의 말.

그것이 산산이 부서지는 순간이었다.

5장

마의태의 혼란

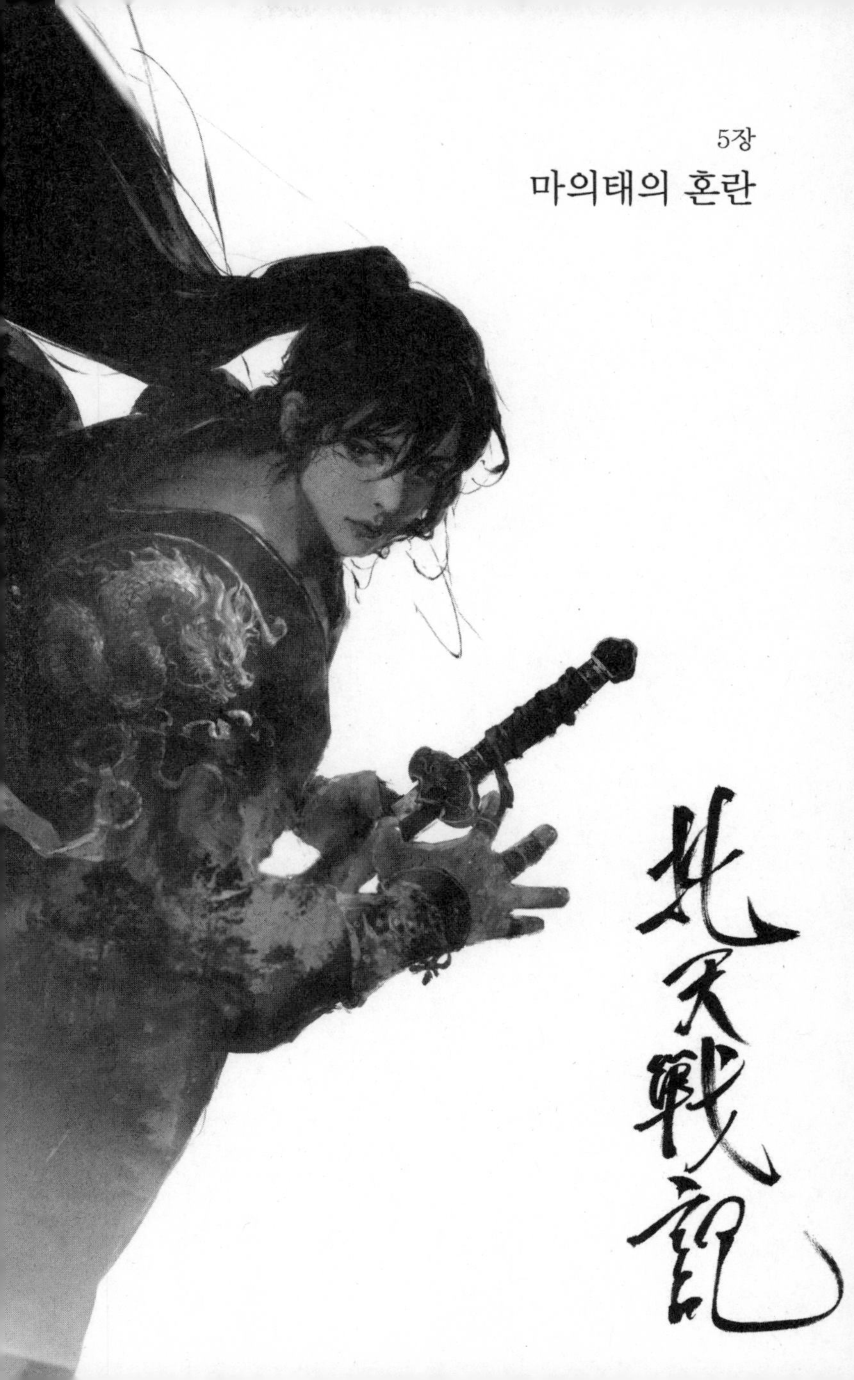

마의태의 혼란

연후와 마의태의 설전 아닌 설전을 바라보던 곽홍은 가슴 깊은 곳에서부터 끓어오르는 격한 감정에 지그시 입술을 깨물었다.

전쟁도 불사하겠다는 연후의 태도.

다른 이들은 어떻게 봤을지 몰라도 곽홍은 피가 끓었다.

'선주와 다르다.'

지나치게 온건하고 소극적이었던 선주 이염, 때로는 나약하다는 평가까지 받았던 그를 볼 때면 곽홍은 억장이 무너지는 기분이었다.

적보다 약하다는 이유만으로 적의 도발에도 무조건 참을 것을 종용했던 이염의 정책 때문에 지금껏 얼마나 많은 무사들이 피를 흘리며 쓰러졌던가.

조금 전 연후가 했던 말이 곽홍의 귓속에서 사라지지 않고 여전히 맴돌았다.

'서북무림과의 전쟁이라…… 까짓것 북부무림의 모두가 죽기를 각오하고, 저런 강력한 주군이 우리와 함께해 주신다면 못할 것도 없다.'

곽홍은 들끓는 감정을 애써 억누르며 마의태를 응시했다.

굳은 얼굴과 무겁게 가라앉은 눈빛은 그의 속내가 어떠한지 충분히 짐작하게 했다.

곽홍은 나지막이 한숨을 내쉬었다.

'이렇게 되면 총사의 마음은 장천 쪽으로 기울게 되겠구나.'

그때 마의태가 곽홍을 돌아봤다.

"부관."

"예, 총사."

"본진에 전령을 보내어 지원 병력을 보내라 전하게."

"알겠습니다."

명령을 내린 마의태는 연후를 돌아봤다.

이미 연후는 추격전의 동선을 쫓아 먼저 움직이고 있었다.

꽈악.

마의태는 어금니를 악물었다.

'이번 한 번은 당신의 명령에 따라 주겠소. 하나 작전이 실패하고 무사들의 희생이 따른다면, 또한 이 일로 인해 서북무림과의 관계가 악화되어 전쟁의 그림자가 드리우게 된다면 더는 당신을 주군이라 칭하지 않을 것이오.'

마의태는 연후의 뒤를 쫓아 몸을 날렸다.

그 뒤를 곽홍과 무사들이 쫓았다.

한 무사가 속삭이듯 말했다.

"빌어먹을, 이러다가 우리 때문에 전쟁이 벌어지는 건 아닌지 모르겠다."

"먼저 침범을 한 건 서북무림이야. 전쟁이 무섭다고 그냥 내버려 둘 순 없는 문제라고. 솔직히 그동안 얼마나 많이 당했냐. 까짓것, 한번 해 보는 거지 뭐."

"맞아. 저 개자식들한테 우리도 무섭다는 걸 보여 주자고."

"다들 조용히 해라."

곽홍의 한마디에 무사들이 입을 다물었다.

* * *

연후는 백호산(白虎山) 북쪽까지 이동했다.

서북무림의 병력이 적랑단을 쫓아 그곳까지 넘어선 것이다.

길을 크게 돌아왔지만 남부방위군의 군영까지 직선으로 채 십 리도 되지 않는 곳이었다.

'우리의 도움을 받을 생각인가?'

적랑단의 이동 방향이 정확하게 남부방위군의 군영을 향하고 있었다.

그때였다.

쫓기던 적랑단도, 뒤를 쫓던 서북무림도 이동을 중단하면서 추격전이 잠시 중단되었다.

연후도 덩달아 이동을 멈추었을 때, 마의태를 비롯한 무사들이 그의 곁으로 떨어져 내렸다.

사마송이 어이가 없다는 표정으로 말했다.

"감히 여기까지 올라오다니, 우리가 그렇게 우습게 보였단 말인가."

마의태는 말없이 서북무림의 병력을 내려다볼 뿐이었다.

잠시 말없이 주변을 살핀 연후는 마의태를 돌아봤다.

"무사들과 함께 저쪽에 진을 치도록 하시오."

그가 가리킨 곳은 백호산 북쪽의 협곡이었다. 깎아지른 절벽이 병풍처럼 늘어선 그곳은 협곡이라고 하기에는 지나치게 넓었고, 또한 앞쪽에 숲이 우거져 있어서 가까이 접근하기 전까지는 협곡임을 모를 수밖에 없는 환경을 갖추고 있었다.

마의태가 물었다.

"적들이 저곳으로 온다는 보장이 있습니까?"

"반드시 저곳으로 가게 될 거요."

"……."

"사마 가주와 철우, 너도 총사와 함께 움직여라."

"예."

"알겠습니다."

지시를 끝낸 연후는 곧장 산 아래로 몸을 날렸다. 그 모습을 지켜보는 마의태의 두 눈에는 불신의 빛이 짙게 드리워 있었다.

사마송이 한마디 건넸다.

"주군을 믿으십시오, 총사."

"믿고 안 믿고의 문제가 아니오. 어째서 뒷일을 생각하지 않는단 말이오? 만에 하나 확전이 되면 감당할 수 있을 거라 보시오?"

다소 격한 어조였다.

하지만 사마송은 되레 미소를 머금었다.

"얼마 전에 장로원주께서 자객의 암습에 크게 다치시는 일이 벌어졌습니다. 물론 서북무림이 보낸 자객이었지요."

"……!"

처음 듣는 말에 마의태는 크게 놀라는 눈치였다.

사마송이 말을 이었다.

"주군이 어찌하셨을 것 같습니까?"

"……어찌하셨소?"

"벽력가로 휘하의 고수들을 보내시어 장로원주의 목을 따 버렸습니다. 그뿐만이 아니라 위연광에게 당신의 보복이라는 흔적까지 일부러 남기셨지요."

"……!"

마의태가 두 눈을 부릅떴다.

곽흥을 비롯한 무사들도 마찬가지였다.

"그럼에도 위연광은 아무런 보복조차 하지 못하고 있습니다. 오히려 우리한테 당했다는 것이 천하에 알려지면 이후에 불어닥칠 후폭풍 때문에 쉬쉬하기에 급급한 상황입니다."

"정말…… 그런 일이 있었소?"

사마송은 대답 대신 철우를 돌아봤다.

철우가 모두를 향해 말 대신 손가락으로 자신의 검을 툭툭 건드렸다.

자신의 검으로 벽력가 장로원주의 목을 베었다는 의미를 담은 행동이었다.

사마송이 미소를 거두며 준엄한 어조로 말을 이었다.

"다들 변해야 합니다. 지금까지의 모든 관념을 떨쳐 버리고 완전히 새로운 북부무림으로 탈바꿈해야 합니다.

주군께서 원하시는 것이 무엇인지 말씀드릴까요?"

"……."

"그저 북부무림의 안녕이 아니라, 불구대천의 원수인 서북무림을 정벌하고 그 어떤 세력에게도 무시당하지 않는 강력한 북부무림을 만드는 것. 주군께서는 바로 그것을 원하고 계십니다."

파르르…….

마의태는 눈빛을 떨었다.

가슴 밑바닥에서부터 알 수 없는 흥분이 치밀어 오른 것이다. 그건 연후에 대한 불신과는 전혀 무관한 것이었다.

뒤에 서 있던 곽홍은 눈시울을 붉혔다. 몇몇 무사들은 호흡까지 거칠어졌다.

그 모습을 무심히 지켜보던 철우가 먼저 돌아섰다.

"한가하게 이러고 있을 때가 아닌 것 같소. 그만 갑시다."

* * *

뒤를 돌아본 관량은 헛웃음을 지었다.

"어이가 없군. 여기까지 쫓아와?"

"서북무림이 원래 북부무림을 한 수 아래로 여겨 왔지

않습니까. 게다가 최근에 이염까지 죽어 버렸으니 눈에 뵈는 게 없을 겁니다. 그나저나 이런 식으로 계속 도망치다가는 정말 북부무림의 군영까지 가게 될 것 같은데 말입니다."

"싸우고 싶은 모양이군."

"그게 우리 방식이지 않습니까."

"닥쳐. 다시 말하지만 우리의 대의는 단주를 도와드리는 것이다. 여기서 개죽음을 당하면 그것만큼 무의미한 것은 없다."

관량은 다시 움직이기 시작했다.

그렇게 얼마나 이동했을까?

산속이라고는 믿을 수 없을 만큼 드넓은 초지가 나타났다. 초지 너머에는 또다시 우거진 숲이 시작되고 있었다.

관량은 초지 너머에 무엇이 있는지 알고 있었다.

"협곡으로 들어간다."

"대장, 그리로 들어가면 꼼짝없이 갇히는 신세가 되고 맙니다!"

"생각한 게 있으니 군말 말고 따라와."

관량은 수하들을 협곡으로 이끌었다. 그렇게 협곡의 입구에 이르렀을 때였다.

"엇!"

누군가 외마디 경악성을 터트렸다.

협곡이 시작되는 초입에 서 있는 연후를 본 것이다. 관량의 두 눈이 기광을 번뜩였다.

'여기서 또 보다니.'

관량은 연후를 향해 성큼 다가갔다.

"우리를 기다렸소?"

연후는 묵묵히 고개를 끄덕였다.

관량이 한마디 더 했다.

"더 이상의 도움은 필요 없소만."

"도움까지는 필요 없을지 몰라도 북부무림의 군영이 가까운 곳에 있다는 점을 이용하기 위해 이곳으로 온 것 같은데……."

"……."

정곡을 찔린 관량은 한순간 말문이 막혔다.

연후는 그런 관량을 직시하며 말을 이었다.

"놈들은 우리 북부무림인들을 납치, 살해했소. 그러니 이건 내 전쟁이기도 하니 쓸데없는 생각은 맙시다."

"하면 놈들을 공격하겠다는 말씀이시오?"

"아니면 이곳에 올 이유가 없지 않겠소?"

"그러다 확전이 될 수도 있는데…… 괜찮겠소?"

피식.

"그건 당신이 걱정할 바가 아닌 것 같소."

"뭐, 그렇긴 하지만…… 좋소. 그럼 우리도 손을 보태겠소. 안 그래도 여기까지 도망친 것 때문에 수하들 보기 쪽팔려 죽는 줄 알았으니까.”

스르릉.

관량이 검을 뽑았다.

“모조리 죽이고 싶지 않소?”

“물론이오.”

“그렇다면 협곡까지 놈들을 끌어들여야 하지 않겠소? 사방이 탁 트인 이곳이면 도주하는 놈들이 생길 테니까.”

“…….”

관량은 미간을 좁혔다.

말을 하다 보니 묘하게 끌려 들어가는 자신을 발견한 것이다.

“혼자 왔소?”

“그럴 리가 있겠소?”

“알겠소. 그럼 어떡하면 되겠소?”

“적당한 거리를 두고 쫓기는 척을 하다가 어쩔 수 없이 협곡으로 뛰어드는 척만 하면 될 거요. 그럼 협곡에서 봅시다.”

그 말을 끝으로 연후는 협곡으로 몸을 날렸다. 그런 연후를 바라보는 관량의 표정이 묘했다.

‘그것 참, 희한하게 빨려 들어가네.’

백인대장이 소리쳤다.

"대장, 놈들입니다!"

관량은 시선을 돌려 뒤쪽을 응시했다.

서북무림의 병력이 막 숲을 헤치며 나서고 있었다.

"감히 나 관량을 잡겠다고?"

팟.

관량의 눈동자가 살광을 머금었다.

"북부무림의 주군인지 이공자인지 하는 자가 하는 말을 들었겠지? 다들 적당한 거리를 두고 쫓기는 척하다가 협곡으로 들어간다."

"그자가 시키는 대로 합니까?"

"여기까지 도망친 것이 쪽팔리지?"

"물론입니다."

"한 놈도 남김없이 모조리 죽여 버리고 싶지?"

"그럼요."

"그럼 잔말 말고 시키는 대로 해."

* * *

연후보다 먼저 협곡에 도착한 마의태.

그는 무사들과 함께 연후가 오기를 기다리며 생각에 잠겼다.

'내가 틀린 걸까?'

사마송의 목소리가 아직도 귓속을 맴돌고 있었다. 그의 말을 들으며 요동쳤던 심장의 박동도 여전히 가시지 않고 있었다.

지금껏 전쟁만은 피해야 한다는 생각으로 군을 이끌었다. 그것이 절대적 약세인 북부무림을 위하는 길이라 여겼다.

그것은 언제부턴가 그의 가슴 깊숙한 곳에 하나의 신념처럼 자리 잡고 있었다. 그러했기에 평화를 주장하는 장천에게 마음이 기울었던 적도 있었다.

물론 장천이 인간적으로 싫었기에 지금껏 중립을 표방했을 뿐이었다.

'벽력가의 장로원주를 베었다니…….'

도무지 믿기지가 않았다.

지금껏 보복은 아무도 꿈도 꾸지 못한 것이었다. 그나마 북부군단을 이끌고 있는 윤회가 서북무림을 상대로 북부에서 수년 동안 전쟁을 이끌어 왔을 뿐이었다.

물론 그것도 서북무림의 공격에 맞서 왔을 뿐, 선제공격은 꿈에서조차 불가능한 일이었다.

주군께서는 서북무림을 정벌하고 감히 누구도 무시하지 못하는 북부무림을 만들고자…….

사마송의 목소리가 다시 환청처럼 귓속을 울렸다.

파르르…….

'정녕 내가 틀렸단 말인가.'

마의태는 점점 더 깊은 혼란 속으로 빠져들고 있었다.

* * *

"주군께서 오십니다."

연후가 협곡으로 들어서자 모두가 머리를 조아렸다. 연후는 마의태를 향해 말했다.

"적랑단이 손을 보태기로 했소. 이 점 미리 알려 두었으니 혹시라도 불상사가 일어나지 않게끔 조심하시오."

"알겠습니다."

뒤이어 연후는 모두를 향해 말을 이었다.

"다들 준비됐나?"

"예!"

"그럼 지금부터 작전을 알려 주겠다."

연후는 이미 세워 놓은 작전을 설명했다.

설명이 이어지는 내내 주변에 묘한 기운이 일렁거렸다.

그것은 무사들이 발산하는 전의(戰意)이자 투기(鬪氣)였으며, 전투에 임하고자 하는 비장함이었다.

"포로는 필요 없다. 단 한 놈도 이곳을 빠져나가지 못하게 해야 한다. 다들 자신 있나?"

"예!"

뜨겁다.

마의태는 무사들이 발산하는 강렬한 투기에 다시 한번 눈빛을 떨었다.

그가 직접 수련시킨 정예들이다.

하지만 지금껏 이러한 기운은 느껴 본 적이 없었다.

"사마 가주."

"예, 주군."

"가주는 협곡 뒤쪽을 맡아 주시오. 다시 말하지만 한 놈도 빠져나가지 못하게 해야 하오."

"알겠습니다."

연후는 동방리를 돌아봤다.

"가주도 같이 가시오."

"예."

"철우, 너는 상황을 봐 가며 교전하다가 뒤쪽으로 빠져나가려는 적의 숫자가 많다 생각되면 두 분 가주를 돕도록 해."

"알겠습니다."

사마송과 동방리가 협곡 뒤쪽으로 빠졌다.

철우는 언제나처럼 보이지 않는 곳으로 사라졌고 마의

태와 무사들은 입구 좌측으로 빠졌다.

그곳에 제법 우거진 숲이 있었는데, 그들이 해야 할 일은 이미 연후가 지시를 해 놓은 상태였다.

홀로 협곡의 한가운데에 남은 연후는 천천히 검을 뽑아 땅에 꽂았다.

스르릉.

퍽!

마침 입구에서부터 들이친 바람이 그의 전신을 할퀴고 지나가며 핏빛 전포가 펄럭였다. 그 모습이 무사들의 가슴을 들끓게 만들어 놓았다.

곽홍도 마찬가지였다.

'친히 선봉에 서시다니…… 이거야말로 우리가 꿈꿔 왔던 주군의 상이다!'

검파를 쥔 곽홍의 손에 저절로 힘이 들어갔다. 그때 마의태의 명령이 떨어졌다.

"미리 검을 뽑아 두도록."

스르릉!

모두가 일제히 검을 뽑았다.

무형의 기운에 의해 수풀이 이리저리 흔들렸지만 이내 조용히 가라앉았다.

시간이 흘렀다.

그리고 두 식경쯤 지났을 때, 협곡으로 뛰어드는 자들

이 있었다.

관량을 비롯한 적랑단이었다.

연후는 그들의 뒤쪽 너머를 바라봤다. 서북무림의 병력
이 맹렬히 쫓아오고 있었다.

관량이 물었다.

"시작하는 겁니까?"

연후는 묵묵히 고개를 끄덕이며 땅에 꽂아 두었던 검을
뽑았다.

놀랍게도 검이 꽂혔던 땅 주변에 서리가 하얗게 내려앉
아 있었다.

하지만 그것을 본 사람은 아무도 없었다.

챙!

관량이 검을 뽑아 들고는 입구를 향해 돌아섰다. 그것
을 신호로 적랑단의 무사들 모두가 일제히 무기를 뽑았
다.

채채챙!

관량이 뛰어드는 적들을 향해 송곳니를 드러내며 난폭
하게 웃고는 연후를 돌아봤다.

"일이 끝나면 술 한잔하시겠소?"

"얼마든지."

씨익.

"술은 내가 사겠……."

말을 하다 말고 눈이 동그래지는 관량.

그런 그의 머리카락이 사납게 흩날렸다. 연후가 앞으로 뛰어나가면서 일으킨 바람 때문이었다.

* * *

위이잉!

가로누워 날아가는 강기 한 발.

공기를 찢으며 날아드는 강기를 한 중년인이 수중의 검으로 힘껏 후려쳤다.

꽝!

"큭!"

외마디 신음과 함께 중년인의 팔에서 피가 튀었다. 충격을 이기지 못한 중년인의 팔에서 부러진 뼈가 살갗을 뚫고 삐져나왔다.

쐐애액.

수십 발의 암기가 연후를 노리고 날아들었다.

하지만 연후는 아랑곳 않고 적들을 향해 달려들었다.

따다다다당!

연후의 주변에 수많은 불꽃이 피어났다.

호신강기를 뚫지 못하고 튕겨 버린 암기들은 되레 서북 무림의 무사들을 덮쳤다.

퍼퍽!

"크악!"

"으악!"

두 명이 자신들의 암기에 피를 쏟으며 꼬꾸라졌다. 뒤이어 연후가 날린 강기를 받아 냈던 중년인의 머리가 허공으로 솟구쳤다.

설명은 길었지만 모든 것은 찰나의 순간에 벌어진 것들이었다.

쐐액!

연후의 좌측에서 강맹한 기운이 일어났다.

하지만 연후는 쳐다보지도 않고 반대쪽으로 움직였다. 동시에 좌측에서 비명이 터졌다.

"크악!"

상체와 하체가 분리되는 끔찍한 죽음 앞에 관량이 머리카락을 휘날리며 내려섰다.

"내가 누군지 알고 쫓아왔으면 이 정도는 각오했어야지. 후후후."

* * *

연후는 적들 한가운데로 뛰어들어 칼춤을 추었다. 그가 뛰어든 곳은 이내 누구도 빠져나가지 못할 죽음의 공간으로 변했다.

번쩍!

"크아악!"

"끄악!"

빛이 번뜩이면 어김없이 비명이 터졌다.

연후의 검은 피할 수도 막을 수도 없었다. 용케 막아도 소용이 없었다.

퍽!

"크아악!"

검과 사람이 동시에 둘로 쪼개졌다.

"으……."

뒤쪽에서 기습을 노렸던 적 하나가 공포에 질려 뒤로 물러서다가 관량의 검에 목이 날아갔다.

철우는 보이지 않는 곳에서 상대적으로 강해 보이는 적들을 골라 죽였고, 마의태와 정예들은 혼란을 틈타 협곡의 입구를 차단하고는 적의 등 뒤를 쳤다.

콰콰콱!

"크아악!"

"으악!"

"서북의 잡종 따위가 감히!"

마의태의 검은 무겁고 파괴력이 넘쳤다.

또한 자비를 몰랐다.

지금껏 내면 깊숙하게 억눌러 놓았던 무사의 혼이 폭발하면서 그는 한 마리 성난 사자로 변해 가고 있었다. 그의 곁을 함께하고 있던 곽홍이 눈시울을 붉혔다.

'드디어 깨어나신 겁니까? 이게 총사의 진정한 모습입니다.'

결국 곽홍은 눈물을 쏟았다.

마침 그 모습을 본 마의태의 입에서 노호성이 터졌다.

"정신 차리지 못할까!"

"제 걱정은 마십시오. 총사님을 두고 저 먼저 가는 일은 결코 없을 겁니다."

* * *

삼분지 일에 달하는 수적 열세는 교전에 전혀 영향을 끼치지 못했다.

연후와 철우, 관량의 압도적인 무력은 초장부터 적들을 혼란에 몰아넣었고, 한 번 승기를 내준 적은 제대로 싸워 보기도 전에 전력의 삼 할을 잃는 처참한 결과를 내고 말았다.

유난히 큰 위동회의 얼굴이 경련을 일으켰다.

"북부무림이 적랑단과 손을 잡았을 줄이야……."

그는 주군 위연광의 먼 친척이었다.

그 후광 하나만으로 누구보다 빠른 출세일로를 달렸으며 오늘에 이르러서는 전주의 자리에까지 오를 수 있었다.

하지만 승승장구에 제동이 걸렸다.

적랑단과의 전쟁이 어렵게 진행되면서 주군 위연광의 분노를 사고 만 것이다. 위연광이 전장의 수뇌부들을 모조리 좌천시키고 새로운 자들을 투입할 것이라는 소문까지 돌기 시작했다.

그러한 때에 눈앞에 관량이 나타났다.

그는 적랑단의 단주 관백 다음으로 척살 일순위에 올라 있는 대적(大敵)이었다.

─무조건 놈을 잡아야 한다.

관량을 본 위동회는 이후의 후폭풍 따위는 아랑곳 않고 거침없이 북부무림의 권역을 넘어섰다.

자신의 미래를 걱정했던 그에게 관량은 모든 것을 한 방에 뒤집어 버릴 수 있는 최고의 패였다.

이후 이곳으로 쫓아올 때까지는 모든 것이 낙관적이었다. 거의 세 배에 달하는 수적인 우세를 철석같이 믿은 것이다.

그런데 생각지도 못했던 복병이 나타났다.

바로 북부무림이었다.

그는 수하들 한가운데에서 칼춤을 추고 있는 마의태를

한눈에 알아봤다.

그는 고수였고, 그의 칼춤 앞에서 수하들은 추풍낙엽처럼 쓰러지고 있었다.

하지만 정작 위동회의 심장을 싸늘하게 만든 이는 연후였다.

그는 사신(死神), 그 자체였다.

누구도 막을 수 없고 누구도 피할 수 없는 그런 존재였다.

"빌어먹을! 어디서 저런 놈이……."

마땅히 가장 강한 자신이 나서야 했지만 감히 엄두가 나지 않았다.

"크아악!"

"끄악!"

수하들의 처절한 비명이 위동회의 귓속을 마구 흔들어 놓았다. 그들이 죽어 가면서 흘린 피로 인해 붉게 물든 땅은 지옥이나 다름없었다.

"전주! 도저히 어떻게 할 수 없는 고수입니다! 지금이라도 이곳을 빠져나가야 합니다!"

측근의 다급한 외침에 위동회는 비로소 협곡의 입구를 돌아봤다.

파르르…….

격하게 흔들리는 위동회의 눈빛.

이미 협곡의 초입은 완벽하게 차단되어 있었다. 그곳에 포진한 적의 수는 얼마 되지 않았지만 좁은 입구를 막기에는 충분해 보였다.

하물며 입구로 향하는 중앙에 연후와 마의태, 관량이 버티고 있으니 감히 돌파를 할 엄두조차 나질 않았다.

"대체 어쩌다가……."

위동회는 눈앞에 닥친 현실을 부정하고 싶었다. 하지만 방법은 하나뿐이었다.

'어떻게든 살아서 빠져나가야 한다. 여기서 이렇게 끝나 버릴 순 없다.'

위동회는 냉철함을 되찾으며 빠르게 머리를 굴렸다. 그리고 결정을 내렸다.

"협곡을 그대로 돌파한다! 전력을 모조리 북쪽으로 투입해라!"

상대적으로 협곡 북쪽에 병력이 거의 없다는 것을 간파한 것이다.

위동회가 선두에서 움직였다. 하지만 그를 쫓아 움직일 수 있는 병력은 채 서른이 되지 못했다.

연후와 관량에 의해 병력이 둘로 갈라진 탓인데 지금도 처절한 비명이 끊이지 않고 있었다.

꽈악!

위동회는 어금니를 악물며 수중의 검에 공력을 끌어 담

앉다. 그러고는 북쪽을 향해 혼신의 힘을 다하여 몸을 날렸다.

팟!

하지만 그는 모르고 있었다.

이미 연후가 자신의 의도를 간파하고 있다는 사실을. 또한 보이지 않는 곳에서 자신의 수하들을 무참히 죽여 온 철우가 이미 움직이고 있다는 것까지.

* * *

'다행이군. 멍청한 놈이 우두머리여서……'

연후는 북쪽을 향해 움직이기 시작한 위동회를 응시하며 차갑게 웃었다.

그를 지켜보고 있던 서북무림의 무사들에게 그의 그러한 미소는 악마의 그것만큼이나 섬뜩했다. 하지만 그중에서도 용감한 자는 있었다.

번쩍!

연후의 뒤쪽에서 섬뜩한 빛이 날아들었다.

하지만 연후는 고개조차 돌리지 않았고, 그를 노리고 달려들었던 자는 관량의 검에 허리가 두 동강이 나는 참혹한 죽음을 맞았다.

퍽!

"끄아악!"

"집중하시오!"

관량이 연후를 향해 소리쳤다.

하지만 연후는 그를 쳐다보지도 않은 채 무심히 말했다.

"여긴 당신에게 맡기겠소."

"……!"

팟!

관량은 북쪽으로 몸을 날리는 연후의 뒷모습   을 응시하며 어이가 없다는 표정을 지었다.

'뭐야? 당연히 내가 막아 줄 거라 생각하고 신경조차 쓰지 않은 건가?'

뒤이어 관량은 묘한 감흥에 사로잡혔다.

연후에게서 한 존재의 모습을 본 것이다. 그에게는 목숨 그 이상이 되어 버린 존재.

바로 관백이었다.

'어째 좀 비슷한 것 같기도 한데…….'

* * *

"조심하시오, 가주."

사마송의 묵직한 음성에 동방리는 수중의 검을 늘어뜨

리며 두 발을 어깨너비로 벌렸다.

지켜봤던 바, 가장 강했던 적이 이쪽을 향해 맹렬히 달려오고 있었다.

우우웅.

사마송의 검이 울기 시작했다.

철혈가의 수뇌이지만 무공에 대해서는 거의 알려진 바가 없는 그였다.

하지만 누구도 그를 무시하진 못했다.

전통의 명문, 사마세가. 그곳의 수장이라는 것만으로도 모두에게 경외(敬畏)의 대상이 되기에 충분했던 까닭이다.

한편 동방리는 긴장감을 감추지 못했다.

달려오는 적들의 수가 둘이서 감당하기에는 너무 많았기 때문이다.

'이런 경우까지 계산에 두고 계셨을 거야.'

동방리는 연후를 믿었다.

치르륵.

그녀의 검 끝에서 새파란 불꽃이 일었다. 불꽃이 반사된 그녀의 얼굴도 덩달아 파랗게 물들어 갔다.

"서북의 잡종 따위가 감히 어디라고 기어 들어왔느냐!"

사마송의 입에서 노호성이 터졌다.

뒤이어 그의 검이 위동회를 향해 강기를 뿜었다. 거의

동시에 위동회의 검이 풍차처럼 회전했다.

꽝!

폭음과 함께 위동회가 허공에서 한 차례 휘청거렸다. 그런 그의 장포 곳곳이 찢겨 날아갔고, 허리춤에서는 연기가 피어올랐다.

위동회의 두 눈이 한없이 커졌다.

둘뿐이어서 어렵지 않게 빠져나갈 수 있을 거라 여겼었다. 그런데 상대의 일격을 받아 보니 심장이 싸늘히 얼어붙는 기분이었다.

'빌어먹을…… 이 인간은 또 뭐야!'

사마송은 철저히 가려진 인물이었다. 따라서 서북무림에서 그를 알아볼 사람은 아무도 없었다. 그건 위동회도 마찬가지였다.

그러니 놀람은 더 클 수밖에 없었다.

하지만 언제까지 놀라고 있을 수만은 없는 노릇. 위동회는 어금니를 악물며 수중의 검을 휘둘렀다.

뜻밖에도 그가 노린 상대는 사마송이 아니라 그 옆의 동방리였다.

동시에 위동회의 뒤를 쫓아온 자들이 일제히 사마송을 덮쳤다.

마치 사전에 짜 놓은 것 같은 유기적이면서도 신속한 움직임이었다.

쐐액!

동방리는 섬전처럼 날아드는 위동회의 검을 향해 힘껏 검을 휘둘렀다.

꽝!

또다시 폭음이 터지며 동방리의 몸이 한 차례 크게 흔들렸다. 그에 반해 위동회는 한순간 멈칫했을 뿐, 이내 그녀를 향해 달려들고 있었다.

충격의 여파에 검을 쥔 손에서 감각이 사라졌지만 동방리는 어금니를 악물며 다시 일검을 후려쳤다.

바로 그때였다.

위연광이 그녀를 무시하고 좌측으로 빠져나갔다. 위장 공격을 통해 탈로를 모색한 교묘한 수법이었던 것이다.

동방리의 움직임은 위동회를 쫓지 못했다.

만약 위동회가 다시 그녀를 노렸더라면 위험했을지도 모를 일이었다.

"거기 서!"

동방리의 입에서 교갈이 터졌다.

동시에 그녀의 검이 위동회의 등을 향해 날아갔다. 하지만 이미 위동회는 사정거리 밖을 달려가고 있었고, 그녀의 검은 허공을 베고 말았다.

파르르…….

흔들리는 동방리의 눈빛.

바로 그때였다.

"……!"

흔들리던 그녀의 두 눈이 한없이 커졌다. 위동회의 앞을 막아서는 연후를 본 것이다.

'도대체 언제 저곳까지…….'

* * *

연후와 시선이 마주치자 위동회는 마치 거대한 뱀과 맞닥뜨린 원숭이처럼 온몸이 얼어붙는 것 같았다.

태어나 저렇게 무서운 눈빛은 처음이었다.

하지만 그건 순간에 불과할 뿐, 살아서 빠져나가야겠다는 일념뿐이었던 위동회는 혼신의 힘을 다해 연후를 향해 달려들었다.

"비켜라! 이노옴!"

번쩍!

검이 만들어 낸 빛이 연후의 시야를 방해했다. 뒤이어 빛을 뚫고 날아드는 검의 속도는 놀라울 정도로 빨랐다. 연후는 날아드는 검을 보며 가만히 있었다.

하지만 그건 착각이었을 뿐, 그의 좌수가 어느새 위동회의 손목을 움켜쥐고 있었다.

콱!

"......!"

으드득!

"크아악!"

위동회의 왼팔이 연체동물의 그것처럼 흐느적거리며 늘어졌다. 팔의 모든 뼈가 으스러진 것이다.

쨍그랑!

연후의 숨통을 끊겠다며 날린 검이 맥없이 땅으로 떨어졌다.

그다음은 왼팔이 팔꿈치 아래쪽부터 깔끔하게 떨어져 나갔다.

"끄아아악!"

처절하게 울부짖으며 고통에 몸부림치는 위동회. 그를 바라보는 연후의 눈빛은 마치 악마처럼 무시무시했다.

"항, 항복하겠소!"

뒤쪽에서 몇 남지 않은 적들이 일제히 검을 버렸다. 연후는 고개를 들어 관량을 응시했다. 그의 눈빛에 어린 뜻을 간파한 관량이 이를 드러내며 웃었다.

씨익.

"후후후. 걱정 마시오. 우리도 포로는 취급하지 않으니까."

웃어 보인 관량의 입에서 사망 선고가 떨어졌다.

"한 놈도 남김없이 모조리 죽여라."

"예!"

적랑단이 달려들어 모두를 죽이는 데까지 걸린 시간은 숨 몇 번 고를 정도에 불과했다.

"끄어어……."

연후는 짐승처럼 울부짖는 위동회를 내려다봤다. 싸움이라고도 할 수 없었던 도륙의 장에서 이제 유일한 생존자는 위동회였다.

"너희는 무공을 모르는 사람들을 납치했다. 또한 그들 일부를 죽음에 이르게 했으니 곱게 죽을 생각은 않는 게 좋을 것이다."

"크으…… 누구냐! 네놈은!"

"조만간 너희 서북무림을 무너뜨릴 사람."

연후는 위동회의 혈도 몇 곳을 검 끝으로 두드렸다. 그러자 위동회의 얼굴이 불에 타듯 붉어지더니 바닥을 떼굴떼굴 구르기 시작했다.

하지만 비명은 없었다.

아혈마저 제압해 버린 것이다.

인간이라면 절대 참을 수 없는 극한의 고통. 그럼에도 비명조차 지르지 못하니 고통은 배가 될 수밖에 없으리라.

모두가 연후의 주변으로 다가왔다.

연후는 시선을 들어 그들을 살폈다. 몇 명이 부상을 입어 피를 흘리고 있었지만 전사자는 한 명도 없었다. 그에 반해 적랑단 쪽은 몇 명이 목숨을 잃은 것 같았다. 하지만 그들은 웃고 있었다.

전투에서 승리한 것에 만족하는 모습이었다.

연후는 마의태를 돌아봤다.

온몸에 피를 뒤집어쓴 채 거친 숨을 몰아쉬는 그의 눈빛은 불과 오늘 아침까지 봤던 것과는 확연히 달라져 있었다.

"생존자가 없으니 우리가 이곳에 왔다는 건 모를 것이오."

마의태는 고개를 숙였다.

사실 연후는 위동회를 살려 돌려보낼 생각이었다. 생존자를 통해 자신들이 어떻게 했는지 벽력가에 전하는 것이 그의 방식이었다.

하지만 이번만큼은 그러지 않았다.

굳이 마의태를 걱정시키고 싶지 않아서였다. 그는 자신의 대업에 꼭 필요한 사람이니까.

연후는 무사들을 응시했다.

"다들 괜찮나?"

"예!"

"멀쩡합니다! 주군!"

무사들이 협곡이 무너져라 우렁차게 대답했다. 연후의

입가에 비로소 흐릿한 미소가 떠올랐다.

"수고했다."

* * *

휘이잉!

거센 바람이 소용돌이치는 산의 정상에 연후와 관량이 나란히 섰다.

둘은 각각 술을 한 병씩 들고 있었다.

적랑단의 전사들이 즐겨 마신다는 화주(火酒)였다. 한 모금만 마셔도 식도가 타는 것 같은 고통을 느낀다는 화주가 단 두 모금에 바닥을 드러냈다.

관량이 말했다.

"다음에 다시 만나게 될 일이 있으면 그때 거나하게 한 잔 사겠소."

"그땐 내가 사겠소. 대신 하나만 물어봅시다."

"……."

"서북무림과는 왜 싸우게 된 것이오?"

관량이 미간을 좁혔다.

"세상은 우리가 돈만 주면 누구와도 대신 전쟁을 치러 주는 집단으로 알고 있지만 이번만큼은 다른 이유가 있었소."

퍼석.

술병이 관량의 손에서 산산조각이 나며 떨어져 내렸다.

"단주께는 배다른 여동생이 있었소. 그분이 서북무림이 다스리는 도시로 들어갔다가 목숨을 잃었소. 어떤 놈들의 소행인지는 아직 밝혀내지 못했지만 단주에게 그건 의미가 없는 것이었소. 단주께는 그분이 돌아가신 장소가 중요할 뿐……."

"심심한 애도를 표하는 바이오."

"고맙소."

"하면 언제까지 싸울 생각이오?"

"지금까지 수천에 달하는 서북의 종자들을 죽였소. 물론 그 정도로 만족하실 분은 아니지만 시간을 더 지체했다가는 서북의 수십만 대군을 맞을 수도 있으니 곧 떠나야 할 것 같소. 물론 그 전에 한 번 더 박살을 내어 버릴 생각이지만……."

뜻밖이었다.

그런 이유로 전쟁이 벌어졌다니.

연후는 지난날, 길에서 스치듯 봤던 관백의 모습을 떠올렸다. 사람을 보고 그토록 강렬한 인상을 받은 적은 단연코 그가 처음이었다.

"정식으로 인사드리겠소. 적랑단 제일전대 대장 관량

이오.”

“이연후요.”

“부디 북부의 주인이 되시기를 신께 빌어 드리겠소. 굳
이 빌지 않더라도 되실 것 같긴 하지만…….”

“고맙소.”

“그럼 훗날 또 뵙기를 바라겠소.”

“술을 사려면 또 봐야 하지 않겠소?”

씨익.

“기대하고 있겠소.”

관량이 떠났다.

연후는 떠나는 그의 뒷모습을 응시하며 다시 관백을 떠
올렸다. 그리고 그가 이끄는 수만의 적랑단의 전사들까
지.

‘언젠가는 내 휘하에 들게 될 것이다.’

* * *

마의태는 부상을 입었다.

하지만 그리 깊지는 않았다.

곽홍은 부상 부위에 금창약을 바르고 천을 묶어 주며
조심스럽게 말했다.

“총사의 그러한 모습…… 실로 오랜만이었습니다.”

"흉하지 않았느냐?"

"흉하다니요. 세상에 그런 멋진 모습은 또 없을 겁니다. 앞으로도 자주 보여 주십시오."

"네놈은 내가 싸우다가 죽기를 바라는 모양이구나. 그렇다고 네놈이 총사가 될 수 있을 것 같으냐."

"무슨 그런 섭섭한 말씀을……."

마의태의 입가에 흐릿한 미소가 걸렸다. 곽홍도 웃었다.

"저 아이들을 좀 보십시오."

마의태는 시선을 들어 무사들을 응시했다.

한곳에 모여 부상자들을 돌보고 있는 그들에게서 지금껏 느껴 보지 못한 뜨거운 기운이 무럭무럭 흘러나오고 있었다.

"오늘의 이 전투가 저들에게 어떤 의미로 다가왔을까요."

"흠……."

마의태는 나지막이 숨을 토하며 눈빛을 가라앉혔다. 그는 이미 깨닫고 있었다. 무사들 모두가 전투에서의 승리에 한껏 고무되어 있다는 것을.

"그러고 보니 처음이구나."

"뭐가 말입니까?"

"우리가 의도해서 적과 전투를 치른 것이……."

"그렇습니다. 덕분에 저 아이들의 내면 깊숙한 곳에 묻어 놓았던 호승지심이 제대로 폭발한 것 같습니다."

"내 방식이 틀렸다고 생각하느냐?"

"아닙니다. 저는 결코 그렇게 생각하지 않습니다. 덕분에 북부와는 달리, 이곳에서는 지금껏 전쟁이 벌어지지 않았고 무사들의 희생도 거의 없었지 않습니까. 다들 감사히 여기고 있습니다."

"진심을 듣고 싶구나."

"……."

곽홍은 잠시 머뭇거렸다.

하지만 곧 지그시 입술을 깨물고는 말을 이었다.

"앞으로는 서북을 상대로 보다 강경한 기조를 유지하는 것도 좋지 않을까, 싶은데 말입니다."

"오늘처럼 말이냐."

"예, 오늘처럼 말입니다."

이 부분에서 마의태는 침묵을 지켰다.

곽홍은 혹시라도 그가 마음이 상했을까 걱정했다. 하지만 자신이 한 말은 결코 후회하지 않았다.

'변하셔야 합니다. 하면 남부군의 모두가 총사를 위해 목숨을 걸고 싸울 것입니다.'

"술 좀 주겠느냐."

"예, 여기 있습니다."

마의태는 곽홍이 건넨 술을 단숨에 비웠다. 곽홍이 빙그레 웃었다.

"그 독한 것을 단숨에 비우시다니…… 술이 당기셨나 봅니다."

"오랜만에 힘을 썼더니 몹시 당기는구나. 나를 좀 부축해 주겠느냐?"

"예."

마의태는 곽홍의 부축을 받으며 일어섰다.

그때 연후가 협곡으로 들어서고 있었다. 휴식을 취하던 무사들이 일제히 일어나 그를 향해 머리를 조아렸다.

연후는 곧장 마의태에게로 다가왔다.

"좀 괜찮소?"

"별것도 아닌 것으로 심려를 끼쳐 드려 부끄러울 따름입니다."

"전장에서 다친 것이 뭐가 부끄럽겠소? 하면 이만 돌아갑시다, 총사."

"예, 주군."

곽홍은 함께 걸어가는 두 사람의 뒷모습을 바라보며 미소를 머금었다.

마의태의 입을 뚫고 흘러나온 주군이라는 말이 매우 자연스럽게 들렸던 까닭이다.

'느낌이 나쁘지 않아.'

6장

북부의 주인을 만났습니다

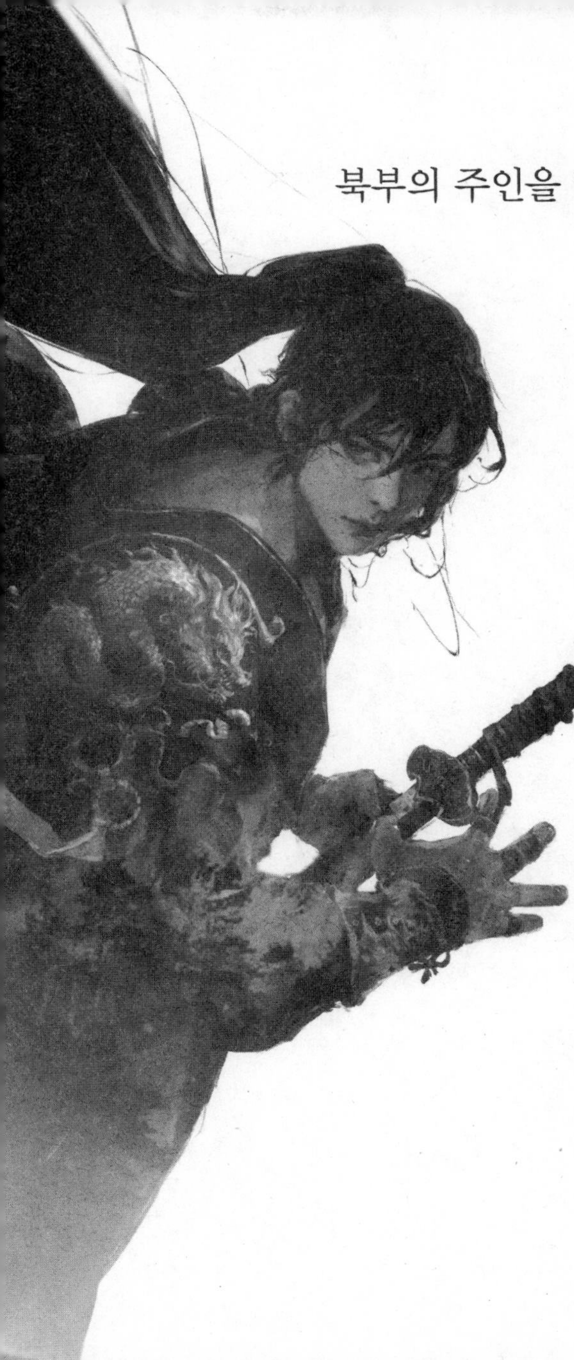

北天戰記

북부의 주인을 만났습니다

군영 내의 한 막사가 시끌벅적했다.

술판이라도 벌어지고 있는 걸까? 열린 문틈 사이로 진한 술 냄새가 흘러나왔다.

"자식들. 아주 신이 났네, 신이 났어. 후후후."

밖에서 바람을 쐬고 있던 곽홍은 막사를 돌아보며 빙그레 웃었다. 그런 그의 얼굴이 취기로 인해 붉게 변해 있었다.

그랬다.

지금 이곳은 협곡에서 압승을 거둔 무사들의 거처였고, 오늘만큼은 술을 마셔도 좋다는 연후와 마의태의 허락으로 술판이 벌어지고 있었다.

무사들은 아직도 흥분을 감추지 못하고 있었다.

수적으로 열세인 상황에서 단 한 명의 전사자도 없이 압승을 거둔 것은 그들 모두에게 무한한 자신감과 더불어 이제부터 무엇이든 할 수 있다는 자신감을 갖게 해 주었다.

"야! 우리 주군, 싸우는 거 봤냐?"

"봤지. 아주 그냥 양 떼 속을 헤집는 한 마리 호랑이 같더라!"

"서북의 종자들이 주군의 맹공에 놀라 허둥대는 바람에 초장에 완전히 승기를 잡을 수 있었지! 아무튼 난 오늘부로 북부의 주군으로 모시기로 결심했다!"

"나도!"

연후를 향한 찬가라도 울려 퍼질 기세였다.

곽홍은 하늘에 떠 있는 달을 올려다보며 나지막이 숨을 골랐다.

"하아…… 그놈의 달빛 한번 참 곱구나."

"왜 밖에 나와 있는 것이오?"

"……!"

뒤쪽에서 난데없이 들려온 목소리에 곽홍은 표정을 고치며 재빨리 돌아섰다. 그러고는 머리를 조아렸다.

"어서 오십시오, 주군."

연후가 어둠을 헤치며 걸어오고 있었다.

그는 시끌벅적한 막사를 힐끗 쳐다보고는 곽홍에게 물

었다.

"술이 모자라진 않소?"

"아닙니다. 주군께서 넉넉히 내주신 덕분에 충분합니다."

"들어갑시다."

"……예?"

"내가 들어가면 안 되는 거요?"

"아, 아닙니다. 어서 드시지요."

연후는 곽홍과 함께 막사로 들어갔다.

"엇! 다들 기립!"

가장 먼저 연후를 본 무사의 외침에 모두가 일제히 일어섰다.

"충!"

"앉아."

무사들이 자리에 앉았다.

조금 전까지 질펀했던 분위기는 언제 그랬냐는 듯 정적마저 감돌았다.

"누가 술 한 잔 주겠나?"

"여기 있습니다!"

쪼르륵.

연후는 잔을 들었다.

"같이 한잔할까?"

"예!"

연후와 모두가 동시에 잔을 비웠다.

미처 잔을 채우지 못한 곽홍은 엉겁결에 술병째로 마셨다.

연후는 무사들을 하나하나 살폈다.

그리고 진중한 어조로 말했다.

"오늘 아주 잘 싸워 줬다. 여러분들의 용맹함 덕분에 예상보다 쉽게 적을 물리칠 수 있었다."

무사들이 서로를 쳐다보며 웃었다.

"하지만 부족함도 보았다."

"가르쳐 주십시오!"

한 무사가 쩌렁쩌렁한 목소리로 외쳤다.

"시끄러워, 자식아. 감히 주군께서 말씀하시는데."

빡!

옆의 동료가 무사의 머리를 한 대 후려갈겼다.

폭소가 터졌고 연후도 웃었다. 더불어 곽홍도 치아까지 드러내며 활짝 웃었다.

"내일부터 여러분들에게 집단전에서 유용하게 써먹을 수 있는 진법을 가르쳐 줄 것이다. 물론 내가 직접 담당한다."

"와아!"

"우와!"

막사가 무너져라 환호하는 무사들.

연후는 환호가 가라앉을 때까지 기다렸다. 저렇게 미친 듯이 좋아하는 모습을 보고 있자니 가슴 한쪽이 뭉클했다.

"다들 조용!"

곽홍이 무사들을 진정시켰다.

"계속하십시오, 주군."

연후는 말을 이었다.

"살려 달라는 말이 절로 나올 정도로 혹독한 수련이 될 텐데…… 자신 있나?"

"예! 자신 있습니다!"

"예!"

"여기 수장이 누구지?"

"예! 접니다!"

한 무사가 벌떡 일어섰다.

그렇게 크지 않은 체격이었지만 다부진 몸매에 눈빛이 살아 있는 이십 대 후반의 청년이었다.

곽홍이 말했다.

"자질이 출중하여 총사께서 매우 아끼는 친굽니다. 하지만 아직까지 따로 직책은 정하지 않았습니다."

"그럼 오늘부터 네가 대주다."

"대주…… 말입니까?"

"그래. 부대명도 무사들과 상의해서 직접 짓도록 해. 총사에게는 미리 언급을 해 뒀으니 걱정할 거 없고."

"예!"

막사가 떠나가라 대답하는 청년의 눈가가 붉게 변하며 습기까지 들어차 있었다.

"그럼 적당히 마시고 일찍 자도록 해. 내일부터 시작될 지옥 수련을 위해서라도."

* * *

말처럼 지옥 수련이 시작되었다.

연후에게 서른 명의 정예들은 시범조였다.

이들에게 집단전에 특화된 전술을 익히게 한 다음, 상황을 봐서 전군에 보급할 생각이었다.

물론 마의태와는 상의를 끝낸 부분이었다.

그렇게 남부에서의 지옥 수련이 시작되었다. 말 그대로 지옥이 따로 없었다.

체력만큼은 자신 있어 했던 모두가 반나절이 채 지나지 않아 바닥에 널브러지기 일쑤였다. 그 와중에 거의 대부분이 구토까지 해야 했다.

하지만 눈빛은 살아 있었다.

무사들에게 있어 공력이든 내공이든 더 강해지고 싶다

는 열망은 그 무엇으로도 대체할 수 없는 가장 강력한 원동력이었다.

그렇게 사흘이 지났을 때, 연후의 지시로 더 강력한 무기 제작을 위해 도시로 떠났던 서백이 돌아왔다.

* * *

마의태의 막사.

상석을 연후에게 내준 마의태는 서백이 꺼낸 활과 화살, 그리고 검과 도를 내려다보며 두 눈을 휘둥그레 치떴다.

"이것이 새로 제작한 무기란 말인가?"

"예. 바로 시험을 해 볼까요?"

마의태가 연후를 돌아봤다.

연후는 담담히 말했다.

"좋은 것이면 빠를수록 좋지 않겠소?"

"그러시지요."

모두는 밖으로 나섰다. 서백은 먼저 활과 화살을 잡았다.

"무사들의 수준을 고려해 공력을 조절해서 쏴 보겠습니다."

끼끼끼…….

시위가 팽팽하게 당겨지며 이전과는 확연히 다른 소리가 흘러나왔다. 허공을 향해 올라간 화살촉이 태양에 반사되어 빛을 번뜩일 때, '탕!' 하는 소리와 함께 시위를 떠났다.

슈아악!

화살은 거의 백여 장을 날아가 군영 내의 거목에 박혔다.

퍽!

마의태가 고개를 갸웃했다.

사정거리가 이전에 자신들이 쓰던 것과 별반 차이가 없었던 것이다.

서백이 씩 웃었다.

"시력을 극대화시켜 보시지요."

마의태는 공력을 이용해 시력을 키운 다음 화살이 박힌 거목을 살폈다.

"엇!"

외마디 경악성이 터졌다.

곽홍은 아예 두 눈을 송아지만 하게 치뜬 채 입을 벌렸다.

화살이 방향을 조정하는 끝부분만 남긴 채 거목에 박혀 있었던 것이다.

"활은 사정거리보다 정확도와 파괴력이 중요합니다.

그런 면에서 평가하자면, 지금까지 써 왔던 것들보다 최소 세 배는 더 정확하게 강해졌다고 보시면 될 겁니다."

"정말…… 세 배나 강해졌단 말인가?"

"음. 그건 하급 무사들에 한해서 그렇다는 말이고, 상급 무사들이 쏘면 당연히 더 강력해지겠지요? 만약 총사께서 사용하신다면 얼마나 더 강력해질까요?"

"……!"

마의태는 안면 근육을 실룩거렸다.

곽홍이 외치듯 물었다.

"하나를 제작하는 데 시간과 돈이 얼마나 듭니까?!"

부관이면서도 재정을 담당하는 그다운 질문이었다.

서백이 특유의 환한 미소를 지으며 답했다.

"도형과 설계도를 만들어 두었으니 시간은 기존의 것과 비교해 큰 차이가 없을 겁니다. 다만 돈은 좀 들겠지요? 당장 촉을 만들 때 써야 할 쇠부터 양질의 것으로 최대한 많이 구해야 하니 말입니다."

이때 연후가 물었다.

"당장 가능한 군자금이 얼마나 있소?"

"은자로 일만 냥쯤 됩니다, 주군."

연후는 서백에게 물었다.

"이 돈으로 몇 개나 만들 수 있지?"

"일만 냥이면 활과 화살은 충분할 정도로 만들 수 있습니다. 다만 검과 도를 다시 제작하려면 최소 십만 냥은 더 있어야 할 것 같습니다."

곽홍이 다시 물었다.

"기존의 검과 도를 녹여서 사용하면 비용을 절감할 수 있지 않겠습니까?"

대답은 서백이 아니라 연후가 했다.

"그렇게 하면 전투력에 공백이 생겨 곤란하오."

"아⋯⋯."

미처 그 부분까지 생각을 하지 못했던 곽홍은 머리를 긁적이며 멋쩍게 웃었다.

연후가 말을 이었다.

"검과 도는 차차 진행하기로 하고 당장 활부터 시작하는 게 좋겠소."

"예, 그리하겠습니다."

"사마 가주."

"예, 주군."

"장로원주에게 전서를 보내어 최대한 빠른 시일 내에 은자 십만 냥을 확보하라 전하시오."

"알겠습니다."

"안부도 여쭙도록 하시오."

"그럼요. 하면 당장 연통을 보내도록 하겠습니다."

사마송이 바람처럼 달려가자 연후는 서백을 돌아보며

말을 이었다.

"그럼 검과 도도 시작해 볼까?"

"예, 일단 검부터 시작하겠습니다. 검은 기존의 검보다 내구성을 높이는 데 중점을 두고 만들었는데……."

* * *

녹음(綠陰)이 끝없이 펼쳐진 광활한 산악 지대.

그곳의 정상에 한 사내가 바람에 몸을 맡긴 채 서 있었다.

양 갈래로 땋아 내린 머리카락과 등을 교차하여 걸려 있는 두 자루의 검, 그리고 전마의 옆구리를 가로지른 거대한 언월도까지.

세상이 불굴의 전사라 부르는 적랑단의 단주 관백이었다.

휘이잉!

온기가 찾아든 세상과는 달리 여전히 겨울의 저항에 시달리는 산악 지대의 바람은 차갑기 짝이 없었다. 하지만 서쪽을 바라보는 관백의 눈빛은 그보다 더 차가웠다.

끼아악!

거대한 독수리 한 마리가 관백의 머리 위 창공을 유유히 날아다니며 포효했다.

독수리는 곧 관백의 어깨 위로 내려앉았다.

그러자 뒤에 시립했던 거한이 다가와 독수리의 다리에 달린 연통을 끌러 그 안에 담겨 있던 서신을 펼쳤다.

내용을 확인한 거한의 두 눈이 반짝 빛을 발했다.

"제일전대장께서 돌아오고 계신답니다."

거한의 그 말에 그저 차갑기만 했던 관백의 눈빛이 아주 미세한 변화를 보였다.

그건 안도의 빛이었다.

그때 뒤쪽에서 또 한 명의 거한이 다가왔다.

"단주, 제이전대장이 돌아왔습니다."

관백은 비로소 돌아섰다.

그가 시선을 들어 바라본 곳에, 중무장을 한 제이전대장 적룡(赤龍)이 전마와 함께 달려오고 있었다. 잠시 후, 적룡이 전마에서 내려 관백을 향해 한쪽 무릎을 꿇었다.

관백의 차가운 두 눈은 피로 물든 적룡의 전신을 천천히 쓸었다.

"다녀왔습니다, 단주."

"어떻게 되었느냐."

"남쪽에서 올라오던 적 이천을 모조리 섬멸했습니다!"

"다쳤느냐?"

"제 피가 아니니 심려치 마십시오!"

"수고했다."

적룡이 돌아가자 관백은 다시 시선을 서쪽으로 돌렸다. 그리고 이전과 같이 침묵을 지켰다.

　　그렇게 얼마나 흘렀을까?

　　뒤쪽에서 가벼운 소란이 일었다.

　　"단주, 제일전대장께서 돌아오셨습니다."

　　관백은 적룡이 왔을 때와는 달리 서쪽에 던져 놓은 시선을 거두지 않았다.

　　잠시 후, 관량이 다가왔다.

　　"다녀왔습니다."

　　관백이 아무 말도 없자 관량은 그의 뒷모습을 한번 쳐다보고는 가만히 있었다.

　　휘이잉!

　　한기를 머금은 바람이 둘의 전신을 할퀴고 지나갈 때, 관백이 입을 열었다.

　　"너는 진즉에 왔어야 했다."

　　"위동회의 목을 베느라 좀 늦었습니다."

　　그 말에 관백이 돌아섰다.

　　관량은 머리를 조아린 채로 말을 이었다.

　　"또한 북부의 주군을 만났습니다. 그가 저희를 도와주었습니다."

　　관량의 설명이 이어지는 동안에 관백의 눈빛이 몇 차례 변했다. 그리고 관량이 모든 말을 마쳤을 때, 입가에 흐릿한 미소가 떠올랐다.

"너의 그러한 눈빛은 꽤 오랜만이구나."

"……예?"

"한때 네가 목숨처럼 사랑했던 아이에 대해 내게 말을 했던 그때, 지금처럼 눈빛이 그랬지. 아주 신이 난 아이 처럼……."

"제가 그랬습니까?"

"스스로 깨닫지 못할 정도로 빠진 거냐?"

"……예?"

"북부의 주인이라는 자 말이다."

관량은 멋쩍은 표정을 지었다. 하지만 곧 질문에 답을 했다.

"숙부를 처음 뵈었을 때와 비슷한 느낌을 받았습니다. 뭐랄까, 감히 누구도 거부할 수 없는 마력을 지녔다고나 할까…… 아무튼 꽤 멋진 사람이었습니다. 아버지 이염 과는 결부터가 다르더군요."

"이염도 꽤 괜찮은 사람이었다. 가장 약한 전력으로 지 금껏 백야벌의 팔대가문에서 밀려나지 않은 것만으로도 인정받아 마땅하지."

"전 무능하다고 봤는데……."

"무능한 측면이 더 크긴 했지. 그나저나 너…… 언제까 지 천둥벌거숭이처럼 함부로 날뛸 거지?"

"……."

"네가 내 조카라서 모든 것이 다 네 뜻대로 될 거라는 오만은 버려야 한다. 전사들이 너를 인정하지 못하면 넌 절대 나의 뒤를 이을 수가 없다는 것을 명심해야 한다. 알겠느냐?"

"……예."

"가서 피 냄새부터 씻어 내도록 해."

관량은 머리를 조아리고 돌아섰다.

꾸지람을 들었지만 그의 표정은 그리 어둡지 않았다.

'더 크게 깨질 줄 알았는데…….'

사실 이번 작전은 그가 독단적으로 행한 것이었다. 관백의 허락 없이 움직였다가 수하들이 피해를 입으면 적랑단의 누구라도 무사하지 못했다.

수하들을 향해 걸어가던 관량의 앞을 적룡이 막아섰다.

"또 망아지처럼 날뛰다가 온 거냐?"

"그 망할 놈의 주둥이가 갈수록 밥맛인 걸 언제쯤 깨달을까."

"너만 할까."

"닥치고, 어떻게 됐냐?"

"당연히 모조리 쓸어버렸지."

"약한 놈들만 있었나 보네."

"저거 보이냐?"

적룡이 손을 들어 뒤쪽을 가리켰다. 그의 손끝이 향한 곳에 거목이 한 그루 있었는데, 가지에 두 개의 수급이 달려 있었다.

"저것들은 뭐냐?"

"벽력가의 전주."

꿈틀.

"멍청한 새끼들. 어디 당할 놈이 없어 이런 놈한테 당하고 지랄이야."

"뭘 좀 건졌냐?"

"나는 너하고 달리 양보다 질로 따져."

"뭐?"

"위동회. 놈의 목을 벴지. 놈이 이끌던 개자식들도 모조리 골로 보내 줬다."

"위동회의 목을 벴다고?"

"자랑할 맛이 싹 가신 모양이군. 못 믿겠으면 저길 봐라."

이번에는 관량이 손을 들어 어딘가를 가리켰다. 우측의 거목에 수급 하나가 대롱대롱 매달려 있었는데, 틀림없는 위동회의 목이었다.

말을 해 놓고 관량은 내심 불편했다.

사실 위동회의 목을 벤 것은 연후였으니까.

"멍청한 놈이 당할 놈이 없어 이런 놈한테 당하고 지랄이야."

　적룡이 그대로 갚아 줬다.

"그러게 말이다."

"멍청하다는 거 인정하냐?"

"너만 할까."

　관량이 웃었다. 적룡도 웃었다. 사실 만날 때마다 티격
태격했지만 둘은 가장 가까운 사이였다.

"어이, 지렁아."

"왜."

"어디 가서 술이나 마시자."

"좋지. 한데 조금 전에 누구 얘기였냐?"

"북부의 주인."

"북부의 주인은 죽었잖아."

"오래전에 쫓겨났던 철혈가의 이공자를 말하는 거다.
이연후라고……."

　관량이 말끝을 흐리며 연후가 있을 북쪽을 응시하더니
흐릿한 미소를 머금었다.

'정말 반해 버린 건가?'

＊　＊　＊

　벽력가의 하늘이 시커멓게 죽어 가더니 이내 비가 쏟아

지기 시작했다.

쏴아아!

하늘만큼이나 대전의 분위기도 무거웠다.

주군 위연광은 횟가루로 범벅이 되어 있는 수급을 내려다보며 눈빛을 떨었다.

수급은 위동회의 것이었다.

불과 한 식경 전, 벽력가의 정문 앞에서 상자에 담긴 채로 발견이 되었는데, 상자 안에는 수급과 함께 한 장의 서신이 있었다.

적랑(赤狼)의 원한은 천 년(千年)을 잇는다.

서신에 적힌 내용은 이게 전부였다.

한 중년인이 분노를 삭이며 말했다.

"위 전주가 보내왔던 마지막 보고에 관량이 나타났으니 놈의 목을 베어 돌아오겠다고 했습니다. 따라서 마땅히 관량, 놈의 소행입니다."

위연광이 입을 뗐다.

"함께 간 병력은."

"……아무도 돌아오지 못했습니다."

파스스…….

위연광은 두 눈을 감았다.

동시에 태사의의 손잡이에서 연기가 피어올랐다. 연기는 이내 대전을 뿌옇게 덮어 갔다.

대전은 다시 질식할 것만 같은 정적에 휩싸였다. 모두가 굳은 표정으로 위연광이 어떤 말을 할지 기다렸다.

그렇게 얼마나 지났을까?

위연광이 감았던 눈을 떴다. 뒤이어 살기가 진하게 묻어나는 목소리로 모두를 향해 명령했다.

"지금 즉시 최정예 일군에 본 좌의 명을 전하라. 본 좌가 직접 나설 것이니 출전을 서두르라고."

"존명!"

모두가 신속하게 대전을 빠져나갔다.

오직 두 사람, 벽력가의 후계자 위천화와 군사 양소만이 남았다.

위천화가 결연히 외쳤다.

"소자, 아버님의 곁에서 함께 싸우고 싶습니다! 부디 허락해 주십시오!"

양소가 나섰다.

"공자를 알아본 적의 집중 공세가 우려되니 이번만큼은 그냥 남아 계시는 것이 좋겠습니다."

"아니다."

"……."

"함께 간다. 가서 이 아비가 저 흉악무도한 도적놈들을 어떻게 쓰러뜨리는지 똑똑히 보도록 하거라.”

“감사합니다, 아버님!”

위천화가 뛰어나갔다.

위연광이 굳은 표정으로 말했다.

“군사.”

“예, 주군.”

“네게 특별한 임무를 맡기겠다.”

“하명하십시오.”

“그대는 백귀들을 이끌고 따로 움직이면서 관백의 목을 노려라. 할 수 있겠느냐?”

“백귀들은 주군의 곁을 지켜야 할 아이들입니다.”

“걱정 마라. 도적놈들 중에서 감히 누가 본 좌를 해할 수 있겠느냐.”

“……하면 속하, 반드시 관백의 목을 베어 주군께 바치겠습니다.”

위연광이 일어섰다.

그가 짚었던 태사의의 손잡이는 새카맣게 숯이 되어 있었고, 여전히 연기가 무럭무럭 피어나고 있었다.

* * *

쏴아아!

비는 어느새 폭우로 변해 있었다.

우르릉!

쩌저적!

멀지 않은 곳에서 뇌전이 거미줄처럼 얽히며 떨어졌지만 적랑단을 치고자 진군하는 서북의 병력들은 멈출 줄을 몰랐다.

그런 서북의 병력을 지켜보는 사람들이 있었다.

적랑단의 단주 관백과 관량, 그리고 적룡이었다.

관백의 입꼬리가 슬며시 말려 올라갔다.

"드디어 위연광이 직접 나섰군."

"위동회, 놈의 모가지가 제대로 일을 해냈습니다. 그나저나 많이도 몰려왔습니다."

"그만큼 화가 단단히 났다는 것이지."

"아쉽습니다. 위연광, 놈의 낯짝이 일그러지는 꼴을 봤어야 했는데 말입니다."

"상상해 봐. 어떻게 일그러졌을지."

관량이 아쉬움을 드러내자 적룡이 한마디 했다. 관백은 시선을 들어 시커멓게 죽어 버린 하늘을 응시했다. 모든 하늘이 죽어 있었지만 멀리 서쪽에서부터 하얀 구름이 조금씩 밀려드는 것이 보였다.

"이 비가 그치기 전에 우리의 터전으로 돌아간다."

"하면 바로 시작할까요?"

"적의 중군이 중립지대의 초입에 들어섰을 때 움직인다."

"알겠습니다."

셋은 비바람에 몸을 맡긴 채 때가 되기를 기다렸다.

그리고 얼마 후, 위연광이 직접 이끄는 중군이 초입에 가까워졌을 때, 관량이 말했다.

"때가 되었습니다."

"신호를 보내라."

"예."

관백이 허락하자 관량이 품속에서 뭔가를 꺼내어 하늘로 쏘아 올렸다.

펑!

하늘에 붉은 연기가 피어올랐다.

하지만 터진 그것은 높은 산봉우리에 가려 있어서 진군하는 서북의 병력들은 볼 수가 없었다.

"하면 저희들도 이만 가 보겠습니다."

"조심하거라."

"예!"

관량과 적룡은 머리를 조아리고 바람처럼 사라졌다. 홀로 남은 관백은 다시 시선을 돌려 서북의 병력을 바라봤다.

어림잡아 십만은 넘어 보이는 대군이었다.

그들이 발산하는 사나운 기운이 한참 떨어진 이곳까지

전해지는 것 같았다.

하지만 관백의 눈빛은 조금도 변함이 없었다. 오히려 더한 냉기를 품어 갈 뿐.

우르릉.

쩌저적!

관백의 머리 위에서 뇌전이 작렬했다.

더불어 관백의 얼굴이 하얗게 물들었다.

"나 관백과 원수가 된 것이 너와 너의 서북무림에 얼마나 참혹한 결과를 가져다줄지 기대해도 좋다, 위연광."

*　*　*

위연광은 저 멀리 모습을 드러내기 시작한 중립지대를 응시하며 안광을 번뜩였다.

아직 도착하자면 꽤 시간이 남았지만 이미 선봉 부대는 초입을 넘어가고 있었다.

'오늘부로 적랑단은 지상에서 사라질 것이다. 내가 그렇게 만들고야 말 것이다.'

살기를 머금은 눈동자가 이내 짜증과 분노를 머금어 갔다.

얼마 전 저잣거리에서 벽력가의 중진 하나가 시비 끝에 몇 명을 죽이는 사건이 벌어졌다.

처음에는 자신에게 보고조차 되지 않은 미미한 사건이었다. 이후 보고가 올라왔지만 그때까지도 크게 신경 쓰지 않았다.

하지만 사건의 희생자가 적랑단의 수장 관백의 여동생임이 밝혀지면서 분위기는 급변했고, 기어코 전쟁이 발발하고 만 것이다.

그동안 수천에 달하는 병력을 잃었고, 적랑단은 여전히 중립지대를 군영으로 삼아 시시때때로 서북의 외곽 지역을 공격하며 상당한 피해를 입히고 있었다. 그래도 위연광은 나서지 않았다.

그에게 적랑단은 그저 사나운 도적 떼에 불과했던 것인데, 친척 위동회의 죽음이 결국 그를 전장에까지 이르게 한 것이다.

쏴아아!

갑자기 강해진 거센 바람에 휩쓸린 빗줄기가 위연광의 장포를 적셨다. 호위들이 재빨리 죽산(竹傘)을 펼쳤다.

"물러서라."

시야가 방해받는 것이 싫었던 위연광은 빗줄기를 고스란히 맞으며 중립지대를 향해 나아갔다.

이미 그때 거의 이만에 달하는 선봉 부대는 중립지대의 초입을 지나 안쪽으로 들어서고 있었다. 위연광은 양소를 찾았다.

"군사."

하지만 따로 특명을 받고 떠난 양소가 대답을 할 리 없었다. 대신 위천화와 초로의 노인 한 명이 다가왔다.

노인은 벽력가의 장로이자 서북에서 손꼽히는 강자이며 천하가 알아주는 고수였다.

그는 따로 움직인 양소와 백귀를 대신해 위연광의 호위를 맡고 있었다.

"제게 하명하시지요, 주군."

"정찰은 확실하게 했겠지?"

"예. 수시로 보고를 받고 있는데, 불과 한 식경 전에 올라온 보고에 위하면 적랑단이 중립지대를 빠져나가는 것은 보지 못했다고 했습니다."

"하면 여전히 저곳에 진을 치고 있겠군."

"그렇습니다. 이번에 반드시 도적놈들을 궤멸시켜 만천하에 우리 서북의 위엄을 보여 주어야 합니다, 주군."

"마땅히 그래야 할 것이다."

"걱정하지 마십시오. 우리 서북의 최정예 군단이 나섰으니 적랑단의 누구도 내일 아침 해가 뜨는 것을 보지 못하게 될 것입니다."

장로가 내뱉은 호언장담의 여운이 채 가시기도 전이었다.

"엇! 저기를 좀 보십시오!"

누군가의 놀란 외침이 울렸다.

장로가 물었다.

"무슨 일이냐?"

"장로님. 저기 저……."

한 무사가 뒤쪽을 가리켰다. 무사가 가리킨 곳을 돌아보던 장로, 안공(安公)의 안색이 한순간 굳어졌다.

서쪽 하늘 아주 먼 곳에서 폭죽이 연이어 터지고 있었는데, 적의 공격을 알리는 일종의 비상 신호였다.

"설마……."

안공이 위연광을 돌아보며 외쳤다.

"주군! 놈들이 도시로 들어간 것 같습니다!"

"호들갑 떨 것 없다. 보나마나 우리의 이목을 교란시키기 위한 작전일 터이니 후방 병력만 보내도록 하거라."

"알겠습니다!"

위연광은 조금도 흔들리지 않았다.

그는 적랑단이 자신이 이끌고 있는 대군의 존재를 확인하고 이목을 교란시킬 목적으로 후방으로 병력의 일부만 보냈을 거라 확신하고 있었다.

자신이 적랑단의 입장이라도 그렇게 했을 터였다.

"진군 속도를 높여라!"

뿌우웅!

나팔 소리가 울리자 중군까지 속도를 높이기 시작했

다. 그렇게 초입까지 이르렀을 때, 위연광은 비로소 뭔가 이상하다는 느낌을 강하게 받았다.

'왜 이렇게 조용한 거지?'

선봉 부대는 이미 중립지대 깊숙한 곳까지 진입했다. 그렇다면 전투가 시작되었어야 했다. 하지만 전투가 벌어진 흔적은커녕, 들리는 소리라고는 비바람 소리가 전부였다.

그때였다.

까가강!

"으악!"

"크아악!"

전방 먼 곳에서 처절한 단말마의 비명이 비바람을 뚫고 울렸다. 잠시 불안해했던 위연광은 냉소를 머금었다.

"안공."

"예, 주군."

"각각 일만의 병력을 좌우로 갈라 진군시켜라!"

"존명!"

뿌우웅!

나팔 소리가 울리자 중군에서 이만의 병력이 빠져나와 중립지대의 좌우측으로 물밀듯이 치고 들어갔다.

위연광의 입가에 다시 냉소가 걸렸다.

'내가 직접 올 줄은 꿈에도 몰랐을 터. 이것으로 너와

너의 적랑단은 한 줌 먼지조차 남기지 못하고 역사의 뒤안길로 사라지게 될 것이다, 관백.'

아쉬움도 컸다.

천하의 모든 세력이 그러하듯 그 역시 적랑단을 자신의 휘하에 두고 싶어 했다. 그들만 끌어들일 수 있다면 북부무림의 북쪽을 완벽하게 장악한 다음 일거에 쓸어버릴 수 있을 거라 확신했었다.

'내 것이 되지 못한다면 누구도 가질 수 없다.'

쩌저적!

멀지 않은 곳에서 뇌전이 작렬하며 위연광의 얼굴을 하얗게 물들였다.

까가강!

콰콰콰!

"크아악!"

"끄악!"

전방에서 울리는 처절한 비명의 정도가 점점 더 가까워졌다.

"천화야."

"예, 아버님."

"훗날 네가 서북을 이끌게 되면 오늘의 이 일을 교훈 삼아 병력을 운용해야 한다. 나보다 더 강한 세력을 상대로 스스로 고립을 자초하는 것이 얼마나 어리석은 짓인지를 깨달아야 한다. 알겠느냐?"

"알겠습니다. 하면 소자가 가서 전황을 살펴보고 오겠습니다."

"위험하니 다른 아이들을 보내거라."

"삼만에 달하는 용맹무쌍한 선봉 부대의 무사들이 있는데 뭐가 위험하겠습니까. 소자를 보내 주십시오. 전장까지 나와 아무것도 하지 않는다면 훗날 누가 소자를 따르려 하겠습니까, 아버님."

꿈틀.

위연광의 눈썹이 슬며시 휘어졌다. 하지만 곧 위천화의 뜻을 허락했다.

"오냐. 그렇게 하거라."

"하면 다녀오겠습니다!"

두두두!

위천화가 백여 기의 인마와 함께 전방으로 뛰쳐나갔다. 위연광은 살짝 불안감이 들었지만 위천화의 말처럼 삼만에 달하는 병력을 믿었기에 이내 불안감을 떨쳐 냈다.

안공이 다시 다가왔다.

"주군, 후방에서 피어오르는 연기가 아무래도 심상치가 않습니다."

위연광은 고개를 돌렸다.

안공의 말처럼 비바람을 뚫고 솟아오르는 연기가 마치 먹구름처럼 하늘을 덮어 가고 있었다.

이런 날씨에 저 정도의 연기라면 불이 나도 크게 난 것임에 틀림없었다.

'설마 우리를 이쪽으로 유인하고 후방의 도시를 노린 건가?'

위연광은 눈빛을 가라앉혔다.

주력이 이곳에 있고 별동대를 통해 교란작전을 시도할 거라는 당초의 확신이 서서히 흔들리기 시작했다.

흔들림은 곧 불안감으로 이어졌다.

'군사를 곁에 뒀어야 했는데…….'

군사 양소의 부재가 크게 다가오는 순간이었다.

그때였다.

두두두!

전방에서 수십 기의 인마가 바람처럼 달려오는 것이 보였다. 조금 전에 전황을 살피기 위해 떠났던 위천화와 호위 병력이었다.

위연광은 안력을 키워 위천화의 표정부터 살폈다.

뒤이어 위천화의 잔뜩 굳어 버린 표정을 확인하고는 또다시 눈빛을 가라앉혔다.

"아버님! 적의 유인작전에 말려든 것 같습니다!"

"어째서 그리 말하는 것이냐?"

"선봉 부대와 교전을 벌였던 적의 수가 고작 수십 명에 불과하다는 것이 확인되었습니다! 무사들이 주변을 살폈지만 어디에도 적랑단은 없었다고 합니다!"

"……!"

위연광의 고개가 반사적으로 후방을 향해 돌아갔다.

하늘을 뒤덮어 가는 거대한 연기. 그리고 그 속에서 거미줄처럼 갈라지며 섬광을 번뜩이는 뇌전.

파르르…….

"전군 회군한다!"

뿌우웅!

* * *

콰아아!

거대한 불길이 비바람을 뚫고 마치 승천하는 용처럼 허공을 붉게 물들였다.

"끄아악!"

"크악!"

성난 적랑단의 전사들은 눈에 보이는 모든 생명체들을 무참히 도륙하며 광기의 칼춤을 추고 있었다.

불길이 반사된 관백의 얼굴도 붉게 타들어 갔다. 그런 그의 곁으로 한 명의 중년인이 다가왔다.

적랑단의 머리라 불림과 동시에 관백의 심복이라 평가받는 허정(許定)이라는 인물이었다.

"이 정도면 서북무림의 북부를 관장하는 십만대군이 몇 개월은 쫄쫄 굶어야 할 것입니다. 운이 좋게도 농기구와 일소들까지 죄다 저곳에 모아 두고 있어서 두 배의 타격을 입힐 수 있었습니다."

"수고했다."

"지금쯤이면 위연광도 사태를 파악하고 병력을 돌렸을 테니 이만 떠나시지요, 단주."

"아쉽군. 놈의 낯짝을 봤어야 했는데……."

"훗날 또 봐야 할 낯짝이지 않습니까. 더 늦으면 퇴로가 막힐 수 있으니 어서 명령을 내려 주십시오."

관백은 묵묵히 고개를 끄덕이며 불바다가 되어 버린 주변을 천천히 쓸어 보았다.

거센 빗줄기도 어쩌지 못할 만큼 강력한 불길 속에서 죽어 가는 무사들, 그리고 우사 속에서 미처 빠져나오지 못한 채 아우성치는 수백 마리에 달하는 소 떼의 모습은 지옥 그 자체였다.

관백은 시선을 들어 하늘을 바라봤다.

"이것으로 네 한이 풀릴까마는…… 오늘은 여기까지만 해야겠구나. 훗날 위연광의 목을 베어 너를 지켜 주지 못한 오라비의 죄를 용서받도록 하마."

짙은 회한이 묻어나는 눈으로 한동안 시커멓게 죽어 버린 하늘을 바라보던 관백이 허정을 돌아보며 명령을 내렸다.

"이만 물러간다."

"존명!"

뿌우우!

관백은 퇴각을 알리는 나팔 소리를 들으며 말 머리를 돌렸다.

꽈르릉!

쩌저적!

작전의 성공을 축하하기라도 하는 걸까?

유난히 크고 빛나는 뇌전 한 방이 그의 머리 위에서 거미줄처럼 늘어졌다.

* * *

한 시진 후.

연후의 막사.

총사 마의태와 부관 곽홍이 황급히 막사로 들어섰다.

"정찰에 나섰던 무사들이 보내온 전서입니다."

연후는 마의태가 건넨 전서를 펼쳤다.

위연광이 십만대군을 이끌고 중립지대로 나섰으나 오히려 적랑단은 서북무림의 북부 군량고를 급습하여…… **後略.**

"후후후."

연후는 기분 좋게 웃었다.

사실이라면 위연광은 관백에게 제대로 한 방 얻어맞은 셈이 된다.

하물며 그 자존심 높은 위연광이 친정에 나섰음에도 이런 결과가 나왔으니 이보다 더 좋을 수는 없었다.

"읽어 보겠소?"

연후는 전서를 사마송에게 건넸다.

내용을 확인한 사마송이 격동 어린 어조로 말했다.

"적랑단이 실로 큰일을 해냈습니다. 서북무림의 북부 군량고는 우리와 머리를 맞대고 있는 대군의 군량입니다. 그곳이 전소되었다면 한동안 놈들은 아무것도 하지 못할 것입니다. 하물며 곡식을 거두려면 최소 다섯 달은 더 있어야 하지 않습니까."

옳은 말이었다.

이 시대에 이 땅을 살아가는 모든 사람들에게 봄은 잔혹한 계절이다. 겨우내 비축해 두었던 곡식이 서서히 바닥을 드러내는 시기이기 때문이다.

하물며 사기로 먹고사는 군에게 군량의 상실은 더할 수

없는 충격이 될 터였다.

연후가 마의태에게 물었다.

"이곳에 주둔하고 있는 적의 총병력이 얼마나 된다고
했소?"

"대략 십오만 정도로 추정하고 있습니다."

"배를 곯는 놈들이 많아지겠군. 후후후."

연후는 관량을 떠올렸다.

그가 헤어지기 전에 그랬었다. 떠나기 전에 제대로 한
바탕하고 갈 것이라고.

'말처럼 제대로 한바탕했군. 덕분에 남부방위군이 한동
안은 서북의 침공을 걱정하지 않게 되었으니 이러면 내
가 적랑단에 빚을 진 셈인가?'

연후는 기분이 좋았다.

이건 생각지도 못한 큰 이득이었다. 이것만이 아니었
다.

관량과의 인연을 통해 언젠가는 반드시 자신의 세력으
로 만들어야 할 적랑단과의 확실한 끈도 생겼다.

"식사는 하셨소?"

"아직 못 했습니다."

"그럼 여기서 같이 합시다."

"그리하시지요."

곽홍이 나섰다.

"숙수들에게 상을 더 들이라 말하겠습니다."

잠시 후, 연후의 막사에서 식사 자리가 시작되었다. 분위기는 매우 좋았다. 어지간해서는 속내를 잘 드러내지 않는 마의태도 표정이 매우 밝았다.

어느 정도 식사가 이어질 즈음에 연후가 말했다.

"적랑단 덕분에 시간을 벌었소. 그 시간을 매우 소중히 여겨야 할 것이오."

마의태가 답했다.

"재정적인 면만 빨리 해결해 주시면 더 강력한 무기로 병력을 무장시키도록 하겠습니다. 물론 저희도 자금 확보에 최선을 다할 것입니다."

"자금은 내가 해결을 해 줄 테니 하루 먹고살기 바쁜 백성들에게 부담을 지우지는 마시오. 남부방위군의 최우선 목표는 이곳 남부의 모든 이들의 삶을 안전하게 지켜 주는 것임을 한시도 잊지 않도록 하시오."

"어찌 그것을 잊을 수 있겠습니까. 하면 주군의 말씀만 믿고 기다리고 있겠습니다."

"그리고 하나 더."

연후는 젓가락을 내려놓고 냉수를 한 그릇 비우고는 품속에서 얇은 책을 한 권 꺼내어 탁자 위에 올렸다.

탁.

"무사들이 익힐 만한 것을 적어 두었소. 집단전에 특화된 전술과 진법도 있으니 하루도 게을리하지 말고 수련을 시키도록 하시오."

"……!"

마의태가 놀란 표정을 감추지 못했다. 흐뭇한 표정으로 두 사람을 지켜보던 사마송도 두 눈을 휘둥그레 치떴다.

"언제 이런 것을 만드셨습니까?"

"본가에서부터 틈틈이 적어 왔던 것이오. 다섯 달이라는 시간 동안 피나는 수련을 통해 원하는 경지에 오를 수만 있다면 남부방위군의 전력은 이전보다 훨씬 더 강해질 것이오."

"감사합니다, 주군."

마의태가 두 손으로 책을 들어 품속에 갈무리하며 진심 어린 표정으로 머리를 숙였다.

그러고는 연후를 똑바로 쳐다보며 말을 이었다.

"하나 여쭐 것이 있습니다."

"물어보시오."

"서북무림을 벌하는 것이 주군의 목표라 들었습니다. 사실인지요?"

연후는 대답 대신 사마송을 돌아봤다.

사마송이 겸연쩍은 표정을 지었다.

"죄송합니다. 제가 감히 일전에 총사께 그런 말씀을 드렸던 적이 있습니다."

"사마 가주가 잘못 아신 것 같소."

"……!"

"내 꿈은 그보다 훨씬 더 큰 곳에 있소. 당장은 밝힐 수 없지만 때가 되면 북부의 모두가 다 알게 될 거요."

꿀꺽.

곽홍이 마른침을 삼키는 소리가 천둥처럼 크게 울렸다. 요동치는 심장의 떨림이 손끝까지 이어지면서 젓가락이 바르르 떨렸다.

"저희가 믿어도 되겠습니까?"

마의태가 다시 물었다.

그런 그의 목소리도 가늘게 떨리고 있었다.

연후는 담담히 대답했다.

"믿으시오."

그저 담담한 어조였지만 태산보다 더한 무거움이 담긴 목소리였다.

그러자 마의태가 자리에서 일었다. 뒤이어 의자에서 벗어나 바닥에 한쪽 무릎을 꿇으며 머리를 조아렸다.

"총사 마의태, 죽는 그날까지 충심을 다해 주군을 따르겠습니다."

예상하지 못한 행동에 사마송과 곽홍이 두 눈을 부릅떴다. 하지만 연후는 지극히 담담했다.

"믿어도 되겠소?"

"믿으십시오."

"그럼 다시는 내 앞에서 죽음이라는 말을 입에 담지 마시오. 죽더라도 내 꿈이, 우리 북부의 꿈이 이루어지는 것을 보고 죽도록 하시오."

北天戰記

연후가 주고 간 꿈과 희망

며칠째 퍼붓던 비가 뚝 그쳤다.

창천(蒼川)이 모습을 드러내며 눈부신 햇살이 비에 젖은 산하(山河)를 보석처럼 반짝이게 만들어 놓았다.

며칠 동안 폭우에 시달렸던 풀잎들이 눈부신 태양의 응원에 힘입어 수줍게 고개를 내밀 때, 그 위로 한 마리 새가 깃털을 눈꽃처럼 뿌리며 추락했다.

털썩!

철우는 새의 다리에 달려 있는 자그마한 연통을 끌러 안에 돌돌 말려 있던 서신을 꺼냈다.

마 총사가 그자의 꾐에 넘어가 충성을 맹세하고…… 後略

피식.

"주군의 손바닥은 망망대해보다 더 넓고 깊으니 네놈들이 빠져나간다는 건 불가능할 수밖에. 후후후."

철우는 서신을 품속에 갈무리하고는 전서구가 날아오른 곳을 돌아봤다.

군영의 좌측, 그러니까 대주들의 막사가 모여 있는 곳이었다.

"예상대롭니까?"

낭랑한 목소리와 함께 뒤쪽 숲에서 서백이 모습을 드러내었다. 날아가는 전서구를 떨어뜨린 건 그의 몫이었다. 그것도 화살이 아닌 나뭇가지만으로.

"주군의 예상대로였다."

"역시 주군은 귀신같은 분이시라니까요. 일전에도 전서구가 날아갈 방향을 정확하게 예측하시더니 오늘도 어김이 없네요. 그나저나 어쩌죠? 장가 쪽 놈들을 모조리 잡아들여야 할까요?"

"그럴 필요가 없다고 하셨다."

"주군께서요?"

"그래. 그냥 놔두라고 하시더군."

"그냥 놔두면 우리가 철혈가로 돌아갔을 때 어떤 협잡을 꾸밀지 모를 놈들인데, 가만히 놔두라고 하셨단 말입니까?"

철우의 입가에 흐릿한 미소가 걸렸다.

"호랑이는 토끼를 사냥할 때마저 최선을 다한다는 말…… 그 말을 믿나?"

"그거야 믿고 안 믿고의 문제가 아니라 매사에 최선을 다하라는 성인들의 뜻이 담긴 말이지 않습니까."

"그럼 호랑이가 토끼를 사냥할 거라 보느냐?"

"먹잇감이 떨어지면 토끼라도 잡아먹어야지요."

"먹잇감이 풍부하다면?"

"그렇다면 한입 거리도 안 되는 토끼를 왜 사냥하겠습…… 혹시 지금 주군께서 장천을 토끼처럼 하찮게 여기신다는 그 말을 하려는 겁니까?"

"나는 그렇게 봤다."

서백이 고개를 이리저리 갸웃거리며 중얼거리듯 말했다.

"주군의 능력이라면 당연히 그럴 수도 있겠지만 그래도 장천은 조심을 하는 게 좋을 것 같은데…… 뭐, 주군의 자리에 오르신 이후라면 모르겠지만 말입니다."

"주군은 가장 빠르고 확실한 방법을 외면하고 계신다. 그럴 필요성을 느끼지 못하신 거지. 이게 무슨 뜻인지는 알겠지?"

"그거야 굳이 장천의 목을 베지 않더라도 주군의 자리에 오를 자신이 있다는 거 아니겠습니까."

"만약 상황이 녹록하지 않게 흘러간다면 그땐 어떻게 하실까?"

"당연히 장천의 목을 베시겠지요. 뭐, 그것만큼 가장 확실한 방법은 없으니까요. 행보에 방해되는 다른 자들도 마찬가지가 될 테고요."

"바로 그거다. 절대적 성공을 보장하는 최후의 한 수…… 그것이 있기 때문에 시간이 걸리더라도 북부의 근간을 이루는 무사들의 절대적 지지를 바탕으로 주군의 자리에 오르려 하시는 것이다. 장천은 그러한 주군의 뜻을 이루기 위한 하나의 수단에 불과한 거지. 달리 말하자면 주군을 빛나게 해 줄 조연이라고나 할까? 아무튼 나도 마 총사의 충성 맹세를 보고서야 주군의 뜻을 비로소 이해했다. 쉬운 길을 놔두고 왜 굳이 저토록 어렵고 힘든 길을 가려 하시는지를 말이다."

"당연하죠. 마음을 얻는 것이 아니라 그저 힘으로 굴복시키면 언젠가는 탈이 나게 되는 법이니까요. 그나저나, 흠……."

서백이 묘한 표정을 지었다.

그러더니 미간을 좁히며 말을 이었다.

"역시 형님답습니다."

"무슨 소리지?"

"그걸 이제야 이해했다니 말입니다. 저와 친구들은 처

음부터 다 그렇게 보고 있었거든요. 그러니까 형님이 죽음밖에 모르는 냉혈한이라는 소리를 듣는 거 아닙…….”

“빡!”

“킥!”

철후가 손바닥으로 서백의 뒤통수를 후려갈겼다. 정통으로 얻어맞은 서백은 눈물마저 찔끔거리며 손이 보이지 않도록 뒤통수를 문질렀다.

“먼저 갈 테니 너는 네 허리통 굵기만 한 통나무 세 개를 갖고 와. 길이는 이 장, 한 치라도 짧으면 한 치에 뒤통수 한 대인 줄 알아.”

“아니, 갑자기 통나무는 왜요?”

“쓸 데가 있다.”

그 말을 끝으로 철우는 사라졌다.

서백은 도끼눈을 하고서 철우가 사라져 간 방향을 노려봤다.

“그냥 맞장 떠서 서열을 확 바꿔 버려?”

“진심이냐?”

‘헉!’

바람 소리에 철우의 목소리가 담겼다.

“……그럴 리가요. 당연히 농담이죠. 제가 감히 어떻게 형님과 맞장을 뜰 수 있겠습니까.”

“깜박했는데, 통나무가 하나 더 필요할 것 같다. 늦지 마라. 늦어도 한 대씩 추가다.”
 ‘씨팍!’

                    *   *   *

 수련장.
 연후는 약속대로 무사들의 수련을 직접 관장했다.
 호기롭게 임했던 무사들의 얼굴에서 웃음기가 사라진
것은 수련을 시작한 지 일각이 지났을 때였고, 한계를 느
끼기 시작한 것은 한 식경을 넘어갈 무렵이었다.
 “후욱!”
 “헉헉!”
 거친 숨을 토하는 무사들.
 모두가 숨이 턱 끝까지 차오르고 두 다리가 후들거렸지
만 어금니를 악물어 가며 버텼다.

 견디지 못하면 함께할 수 없다.

 연후의 이 한마디 때문이었다.
 그렇게 다시 한 식경이 흐르자 대부분은 쓰러지지 않기
위해 검을 땅에 박아 가며 버텼고, 각혈을 하는 무사까지
발생했다.

그런 무사들을 지켜보는 연후의 눈빛은 소름이 끼치도록 무심했다. 그 옆에서 처음부터 지금까지 함께 지켜보고 있었던 마의태와 곽홍은 오히려 흡족한 표정을 짓고 있었다.

솔직히 그들은 무사들이 여기까지 오면서 대부분이 쓰러질 것으로 예상했었다. 그만큼 연후의 수련법은 가혹하리 만큼 혹독했다.

'꽤 괜찮은 놈들로 골랐군.'

연후도 내심 만족하고 있었다.

한계에 다다른 상태에서 정신력만으로 버틴다는 것은 생각처럼 쉽지 않은 일이다.

한순간 의지의 끈을 놓아 버리면 걷잡을 수 없이 무너지는 것이 인간의 본성이며, 지금껏 수도 없이 봐 왔던 것이기도 했다.

"할 만하나?"

"예!"

악기가 진하게 묻어나는 무사들의 목소리에 연후는 비로소 흐릿한 미소를 머금었다.

"좋다. 오늘은 여기까지."

연후가 돌아서자 너 나 할 것 없이 바닥에 널브러지듯 쓰러졌다.

마의태가 다가왔다.

"수고하셨습니다."

"꽤 괜찮은 친구들로 고른 것 같소."

"그렇게 봐 주시니 감사합니다."

"내일부터는 총사께서 직접 저들을 맡아 줘야겠소. 익혀야 할 것들은 모두 책자에 적어 놓았으니 그대로만 하면 될 거요."

"……제가 말입니까?"

"빨리 돌아가 봐야 할 것 같소. 당초 예정은 더 오랫동안 머물며 서북무림의 상황을 지켜보는 것이었는데, 적랑단 때문에 그럴 필요가 없어졌으니까……."

마의태는 무사들을 돌아봤다.

'실망이 클 텐데…….'

연후가 직접 수련을 관장한다고 했을 때, 좋아하던 무사들의 모습이 눈에 선했다.

"총사."

"예, 주군."

"어쩌면 지금껏 경험하지 못한 혼돈이 도래할 수도 있소. 하니 그때에 대비해 남부방위군의 전력을 최대치로 끌어올려 놓도록 하시오."

"맡은 바 소임을 다하겠습니다."

"그리고 한 가지 더 해 줘야 할 일이 있소."

"하명하시지요."

"철우."

연후의 부름에 철우가 유령처럼 나타났다. 이제 이런 모습은 적응이 되었는지 마의태도 더는 놀라거나 하지 않았다.

연후는 철우가 건넨 전서를 마의태에게 내밀었다.

내용을 확인한 마의태의 눈빛에 은은한 노기의 빛이 내려앉았다.

"주의 깊게 살펴는 보되 이적 행위만 하지 않는다면 따로 처벌을 하지는 마시오."

"놔두면 혼란을 부추길 수도 있는 자들입니다."

"그 정도 혼란조차 이겨 내지 못하고서야 어찌 서북을 벌할 수 있겠소? 물론 혼란의 정도가 총사가 보기에 과하다 싶으면 그땐 마음대로 권한을 행사해도 좋소."

"알겠습니다. 하면 언제 떠나시는지요."

"지금 바로 떠날 생각이오."

"지금 당장…… 말입니까?"

"중요한 일이 생겨 떠났다고 하시오. 그래야 저들이 덜 섭섭해할 거요."

연후는 말을 하며 무사들을 돌아봤다.

모두가 거처로 돌아갈 생각도 않은 채 여전히 땅에 드러누워 꼼짝을 않고 있었다. 어떤 무사는 코까지 골며 깊은 잠에 빠져 있었다.

"대신 다음에 올 때 더 강한 무공을 가져오겠다고 전하시오."

그때 사마송을 비롯한 동방리와 서백이 말을 끌고 다가왔다. 이미 떠날 준비를 마친 것이다.

마의태의 얼굴에 짙은 아쉬움의 빛이 드리웠다.

"홀연히 떠나는 게 좋으니 배웅은 나올 필요 없소. 그럼 다음에 봅시다, 총사."

"하면 살펴 가십시오, 주군."

마의태는 말처럼 홀연히 떠나는 연후의 뒷모습에서 눈을 떼지 못했다.

곽홍이 그의 곁에 나란히 섰다.

"솔직히 좀 얼떨떨합니다."

"뭐가 말이냐?"

"주군께서 함께하신 짧은 날 동안에 정말 엄청난 일들이 벌어졌지 않습니까. 저는 모든 것이 마치 꿈만 같습니다."

"현실이 될 수도 있을 꿈을 우리 모두에게 안겨 주고 가셨다."

"서북을 무너뜨리는 것이 과연 가능할까요?"

"처음 사마 가주를 통해 그 말을 들었을 때, 뜬구름을 잡는 소리라고 여겼지. 하지만 지금껏 함께하면서 지켜본 결과…… 결코 꿈만은 아닐 거라는 희망이 생기기 시작했다. 가슴이 뜨거워질 정도로 말이야."

말을 하는 마의태의 얼굴이 격동으로 인해 살짝 실룩거렸다. 그 모습을 지켜보던 곽홍이 옅은 미소를 머금었다.

"저는 주군께서 주고 가신 꿈과 희망만큼이나 총사의 이러한 모습이 너무 좋습니다."

"마치 그동안에는 나를 믿지 못했다는 말처럼 들리는구나."

"그게 아니라는 거 잘 아시지 않습니까. 하하하."

껄껄 웃는 곽홍이었다. 마의태의 입가에도 지금껏 볼 수 없었던 흐릿한 미소가 떠올랐다.

그는 벌써 까만 점이 되어 가는 연후를 다시 응시하며 회한을 드리웠다.

"그러고 보니 선주를 제대로 보필하지 못한 불충을 말씀드리지 못했구나. 마땅히 용서를 빌었어야 했는데……."

휘이잉.

바람이 마의태의 전신을 할퀴고 지나갔다. 그는 그렇게 연후가 완전히 시야에서 사라질 때까지 장승처럼 우두커니 서 있을 뿐이었다.

* * *

휘이잉.

갑자기 바람이 거세게 바뀌면서 주변 숲이 사납게 흔들리기 시작했다. 하지만 연후의 가슴속에서는 한없이 따뜻한 춘풍(春風)이 불 뿐이었다.

'꽤 많은 것을 얻었다.'

짧은 시간에 많은 일들이 벌어졌었다.

대부분이 자신에게 좋은 것들이었다. 특히 마의태의 충성을 맹세받은 것은 가만히 있어도 입가에 미소가 걸리게 할 정도로 크나큰 소득이었다.

이 모든 것은 지금까지의 성과에 결코 안주하지 않고 발 빠르게 움직인 결과물이었다.

한편 사마송은 연후의 뒷모습을 응시하며 연신 고개를 끄덕였다.

'놀랍구나. 그 깐깐한 마 총사로 하여금 강요가 아닌 스스로 충성을 맹세하게 만드시다니…….'

여기서 사마송은 짙은 의문을 가졌다.

과연 모든 것이 연후의 의도대로 흘러간 것일까? 아니면 우연히 그렇게 된 것일까.

'아무렴 어떠랴. 허허허.'

사마송은 마음 같아서는 하늘을 우러러보며 파안대소(破顔大笑)를 터트리고 싶었지만 애써 꾹 눌러 참았다.

그렇게 얼마나 더 이동했을까.

전방의 숲이 흔들리며 누군가 모습을 드러내었다. 그

전에 이미 기척을 감지한 모두는 걸음을 멈추고 만약의 상황에 대비했다.

철우가 검파에 손을 얹으며 연후의 앞을 막아섰다. 하지만 연후는 지극히 담담할 뿐이었다.

"물러서라, 철우."

숲을 헤치고 나선 사람은 관량이었다.

그는 철우 등을 힐끗 쳐다보고는 연후를 향해 포권을 취했다.

연후는 담담히 물었다.

"나를 기다리고 있었소?"

"뵙고 싶어 하는 분이 계시오."

그게 누군지는 굳이 듣지 않아도 알 수 있었다.

'관백이 나를 만나겠다라…….'

연후는 기대가 컸다. 관백이 왜 자신을 만나려고 이곳에서 기다리고 있었을까.

그때였다.

숲 뒤쪽에서 관백이 백마와 함께 모습을 드러내었다. 지난날, 스쳐 지나가며 한 번 본적이 있었던 관백의 얼굴을 연후는 똑똑히 기억하고 있었다.

둘의 시선이 허공을 격하고 얽혀 들었다.

휘이잉.

바람 소리와 함께 장내에 묘한 분위기가 감돌았다. 이

쯤 되면 누가 먼저 입을 열지가 관심사였다. 무릇 이런
상황에서는 서로의 자존심이 충돌하기 마련이니까.

하지만 그런 것은 없었다.

관백이 먼저 포권을 취했다.

"관백이라고 하오."

"이연후요."

"이 아이를 도와줬다고 들었소. 이에 감사를 전하고자
찾아뵈었소."

"도움이 아니라 함께 싸웠을 뿐이오."

찰나의 순간에 관백의 눈동자에 흐릿한 기광이 스쳐 지
나갔다.

이번에는 연후가 입을 열었다.

"전쟁을 끝내고 돌아가는 길이오?"

"전쟁은 끝나지 않았소. 다만 조금 미루고자 할 뿐이
오."

"서북은 강한 상대요. 부디 단주가 원하시는 바를 이루
기를 빌어 드리겠소."

"북부의 주군이 되시기를 빌어 드리겠소."

연후와 관백의 역사적 만남의 첫 장은 이것으로 끝이
었다. 관백은 떠났고 연후는 마치 아무 일도 없었다는 듯
북쪽을 향했다.

그렇게 한참을 이동한 끝에 서백이 의아함을 참지 못하

고 물었다.

"왜 그냥 보내셨습니까?"

"내 편이 되어 달라 부탁이라도 했어야 했나?"

"그건 아니지만 그래도 너무 싱겁게……."

사실 모두가 서백과 같은 마음이었다.

관백은 그리 쉽게 만날 수 있는 인물이 아니었다. 어떻게든 더 많은 대화를 나누어 마음을 사로잡기 위해 노력을 했어야 한다고 생각하고 있었다.

연후는 묵묵히 말을 몰았다.

모두가 서백과 같은 눈으로 그의 뒷모습을 바라봤다. 그때 연후가 입을 열었다.

"다음에 만날 때는 마상(馬上)이 아니라 땅에 내려서 인사를 하게 만들 생각이다."

"……!"

"내가 원하는 것은 동맹이 아니라 내 휘하로 끌어들이는 것이다. 그러자면 시간이 꽤 걸리겠지."

이해가 될 듯 말 듯한 묘한 말에 모두는 미간을 좁혔다. 서백은 고개를 이리저리 갸웃거리며 머리를 긁적였다.

"좀 알기 쉽게 말씀을 해 주시면 안 되겠습니까? 도통 무슨 말씀인지 이해가 잘……."

그때 동방리가 말했다.

"시간이 걸려도 상관없으니 적랑단이 먼저 머리를 숙이고 들어올 때까지 기다리겠다는 말씀인가요?"

"비슷하오."

딱!

철우가 서백의 뒤통수를 한 대 쥐어박았다.

"돌아가지도 않는 머리 그만 굴리고 앞장서서 길이나 살펴봐."

서백이 뒤통수를 문지르며 앞으로 나섰다.

연후는 흐릿한 미소를 머금은 채 주변 풍경을 감상했다. 그러다가 무심결에 좌측을 돌아보다가 이채를 발했다.

좌측 산봉우리에 한 기의 인마가 우뚝 서 있었다.

관백이었다.

연후의 입가를 물들인 미소가 서서히 차갑게 변해 갔다.

'내 앞에서 건방을 떠는 건 오늘 한 번뿐이다, 관백.'

        *   *   *

관백은 북쪽을 향해 멀어지는 연후의 뒷모습을 바라보며 눈빛을 가라앉혔다.

관량이 다가오며 물었다.

"어떻게 보셨습니까?"

"예상 밖이었다."

"어떤 의미로 말입니까?"

"자신감인지 오만함인지 모르겠다만 스스로에 대한 믿음으로 꽉 차 있더군."

"그런 구석이 있긴 합니다만……."

관량이 미간을 좁히며 고개를 갸웃거렸다. 연후를 바라보는 관백의 눈빛이 아주 묘했기 때문이다.

"혹시 언짢으셨습니까?"

"아주 조금은…… 꽤 흥미롭기도 했고."

"북부의 주군이 되면 우리와도 완전히 무관하다 할 순 없을 텐데…… 앞으로 서북무림과 전쟁을 치르려면 관계를 더욱 긴밀하게 가져가는 것이 좋지 않겠습니까?"

"적의 적은 친구라는 말을 하고 싶은 게냐?"

"친구까지는 아니더라도 동맹 정도는 결코 나쁘지 않을 것 같습니다만."

"동맹이라……."

"북부무림은 서북의 위연광에게 우리보다 더한 원한을 갖고 있으니 동맹을 맺는 것 정도는 어렵지 않을 거라 봅니다."

관백은 관량의 말을 들으며 눈빛을 가라앉혔다.

'잘못 보지 않았다면 결코 동맹 정도에 만족할 자가 아니었다. 나를 바라볼 때의 그 눈빛은…… 마치 왕이 신하를 내려다볼 때의 그러한 눈빛이었다.'

피식.

순간 관백의 입가에 비릿한 미소가 떠올랐다.

'흥미롭군. 감히 나 관백을 휘하에 거두려 하는 자가 이 세상에 존재했다니…….'

* * *

며칠 후, 철혈가.

"으…… 피곤해."

하루 종일 장부와 씨름을 하던 송영이 크게 기지개를 켜고는 침상에 몸을 던졌다.

"십만 냥, 십만 냥……."

그는 마치 실성한 사람처럼 은자 십만 냥을 중얼거리더니 이내 코를 골기 시작했다.

그리고 눈을 떴을 땐, 이미 사위에 어둠이 내려앉고 있었다.

꼬르륵.

배 속에서 밥을 달라는 소리가 요란하게 울리자 송영은 겉옷을 걸치고 밖으로 나섰다. 그러다가 걸음을 멈춘 것은 전각의 난간에 우두커니 서 있는 한 사람을 발견하고 서였다.

야랑의 수장 석호진이었다.

이미 부상이 완쾌되었지만 그는 아직 백야벌로 떠나지 않고 있었다.

　'뭐야, 벌써 온 거야?'

　송영은 석호진의 곁으로 다가가며 말했다.

　"저잣거리에 다녀오신다고 하더니 벌써 돌아오신 겁니까? 그럼 같이 식사나 하러 가시죠?"

　"생각 없으니 많이 드시오."

　"아, 예. 그럼."

　송영은 부리나케 식당으로 향했다.

　그런 송영의 뒷모습을 응시하던 석호진의 입에서 짙은 한숨이 흘러나왔다.

　뒤이어 무겁게 가라앉은 눈빛을 떨었다.

　벌의 분위기가 심상치 않습니다. 소공자를 대지존으로 옹립하려던 장로원주께서 갑자기 원탁회의를 통해 대회의를 무기한 연기했습니다. 그리고 공자와 철군악 사자께서는 입벌을 하신 이후로 종적이 묘연해진 상황입니다.

　저잣거리에 나갔던 이유는 야랑 소속의 수하를 만나기 위함이었다. 그를 통해 벌의 상황을 전해 들었는데, 하나같이 암울한 내용이었다.

　'대회의를 연기하다니…… 설마 원주가 다른 마음을 품

었단 말인가?'

원탁회의는 백야벌의 중대사를 결정하는 최고의결기구
였다. 당초 목적은 대지존의 독주를 막기 위함이었지만,
세월이 흐르면서 조금씩 변질되기 시작하더니 오늘 날에
이르러서는 대지존의 권한을 넘어서는 강력한 힘을 지닌
집행기관으로 바뀌어 버렸다. 그곳에서 결정을 내리면
누구든 따라야 하며, 만약 어길 시 죽음에 이르는 처벌까
지도 감수를 해야 한다. 그런 이유 때문에 백야벌의 주
요 인사들은 원탁회의의 구성원이 되기 위해 온갖 음모
와 협잡을 마다하지 않고, 필요하다면 경쟁자를 암살하
는 참극을 빚기도 했다.

'가 봐야 하는데……'

백야벌로 돌아가고 싶은 마음이 굴뚝같았다. 하지만 그
럴 수가 없었다.

그에게는 소무백이 따로 내린 명이 있었다.

**그분이 확실하게 자리를 잡을 때까지 곁에서 도와드리
세요. 필요하다면 벌에 도움을 요청하고 혹시라도 위급한
상황이 발생하면 내게 바로 연락을 취해야 합니다.**

물론 거부할 수도 있었다.

야랑의 수장은 오직 대지존의 명에만 따르는 직속부대

이기에, 아직 대지존의 자리에 오르지 못한 소무백이 자신에게 명령을 내릴 권한도, 그에 따를 이유도 없었다.

하지만 석호진은 기꺼이 그러겠노라 약속했다. 소무백이 대지존의 자리에 오를 거라 확신했기 때문이었다.

그는 알고 있었다.

소무백이 이연후에게 매우 특별한 감정을 갖고 있다는 것을. 그것은 철군악도 마찬가지였다.

'도대체 뭐가 어떻게 돌아가는 건지…….'

석호진은 점점 더 혼란 속으로 빠져들었다.

휘이잉.

서늘한 바람이 얼굴을 할퀴고 지나갔다.

순간 석호진은 안광을 번뜩였다.

얼굴을 할퀴고 지나간 바람 속에서 희미한 기척을 감지한 것이다.

그때였다.

[접니다.]

"……!"

[드릴 말씀이 있어 다시 돌아왔습니다.]

* * *

잠시 후, 석호진은 철혈가의 뒤쪽 숲에서 한 청년과 마주했다. 그의 수하이자 아침나절에 저잣거리에서 만났던 바로 그 청년이었다.

한데 그 말고 한 명이 더 있었다. 그 역시 야랑의 일원으로 석호진의 수하였다.

"네가 여긴 어쩐 일이냐?"

"전할 말씀이 있어 내려오다가 이 친구와 만났습니다."

"네가 직접 나섰다면 매우 중요한 일일 테지."

"예. 공자께서 드디어 대지존의 자리에 오르시게 되었습니다."

"……!"

석호진은 크게 놀랐다.

분명 아침나절에 만났던 청년은 대회의가 무기한 연기되었다고 했었다.

"이 친구가 떠난 직후 장로원주께서 원탁회의를 통해 대회의를 열어 공식적으로 천명하셨습니다. 전서를 통해 급히 알려 드리고자 했지만 혹시라도 사고가 날까 걱정되어 제가 직접 내려왔습니다."

"하면 대지존과 대공자 사건은 모두에게 알렸느냐?"

"예. 안 그래도 그것 때문에 벌의 분위기가 벌집을 쑤셔 놓은 것처럼 대혼란에 빠졌습니다."

석호진은 지그시 눈을 감았다.

대지존과 대공자의 사건이 천하에 알려진다면 그 후폭

풍은 상상조차 할 수가 없는 것이리라. 당장은 팔대가문이 어떻게 나올지도 예측을 할 수가 없었다.

'만에 하나 그들이 벌의 구속에서 벗어나려 한다면…….'

천하는 혼돈의 소용돌이로 빠져들 게 분명했다.

"장로원주께서도 어쩔 수 없었을 겁니다. 그 사실을 감추고서 공자를 대지존의 자리에 모실 순 없었을 테니까요."

석호진은 아무 말도 할 수가 없었다. 당연히 예정된 일이었고 그렇게 될 거라 알고는 있었지만 정작 현실로 닥치니 머릿속이 텅 비어 버리는 느낌이었다.

그때 석호진은 잠시 잊고 있던 것을 떠올렸다.

"공자와 철 사자께서 입벌을 하신 이후로 종적이 묘연하다고 들었다. 하면 그분들은 어찌 되었느냐?"

"두 분 다 원탁회의에 참석하셨습니다. 벌을 떠나오기 전에 먼발치에서 뵈었는데, 두 분 다 건강하신 모습이었습니다."

"정말 무사하신 모습이었느냐?"

"예. 긴장한 기색은 역력했지만 이상할 만하다는 특이점은 조금도 발견하지 못했습니다."

석호진은 내심 안도했다.

하지만 무거운 마음은 어쩔 수가 없었다.

"이제 그만 벌로 돌아가셔야 하지 않겠습니까?"

"나는 공자의…… 아니, 대지존의 명을 받은 몸이다. 가고 싶지만 그럴 수가 없으니 너희들이라도 속히 돌아가 대지존께 힘이 되어 드려라."

"부전주께 전하실 말씀이라도……."

"내가 돌아갈 동안에 나를 대신하여 야랑을 이끌라 전하고, 무슨 일이 있어도 대지존의 곁 최대한 가까운 곳에 머물러야 한다고 전해라."

"알겠습니다."

"먼 길을 달려왔는데 술 한잔 나누지도 못하겠구나. 미안하다."

"괜찮습니다. 대신 별로 돌아오시면 그때 한잔 사 주십시오. 그럼 저희는 이만 돌아가 보겠습니다."

석호진은 어둠 속으로 사라지는 두 청년의 모습을 끝까지 지켜보고는 철혈가의 담장을 뛰어넘었다.

바로 그때.

"멀쩡한 정문을 놔두고 담장은 왜 타고 넘는 거지? 못 보던 사이에 괴상한 취미라도 생긴 건가?"

전방에서 들려온 차가운 목소리.

하지만 반가운 목소리이기도 했다.

석호진은 목소리의 주인을 향해 물었다.

"그분도 돌아오셨소?"

"내가 왔으면 당연히 오셨다고 봐야지."

목소리의 주인은 바로 철우였다.

* * *

연후는 제대로 쉬지도 못한 채 석호진과 마주 앉았다.

그 자리에서 그를 통해 소무백이 대지존의 자리에 올랐음을 전해 들었다. 소무백이 자신을 도우라는 명령을 석호진에게 내렸다는 것까지.

연후는 소무백을 떠올렸다.

'과연 대지존의 무게를 감당할 수 있을까?'

하늘 아래에서 가장 강력한 권력을 상징하는 대지존. 아무리 철군악이 곁에서 보필을 한다 해도 그 자리가 주는 중압감을 감당하기란 결코 쉽지 않을 것이다.

감당하지 못하면 천하는 그야말로 혼돈의 장에 빠져들게 될 것이 자명했다.

연후는 차를 한 모금 마시고는 석호진을 직시했다. 그의 표정은 처음부터 딱딱하게 굳어 있었다.

"걱정이 되는 모양이군."

"……솔직히 그렇습니다."

"그럼 가서 대지존을 도와드리도록 해. 대지존께는 나중에 내가 잘 말씀을 드려 주지."

"그래도 되겠습니까?"

"그런 마음 상태로 내게 도움이 될 거라 생각하나?"

"……."

"생각이 바뀌기 전에 서둘러서 떠나도록 해. 한시라도 빨리 가는 것이 대지존께 도움이 될 테니까."

"감사합니다. 그럼 지금 당장 떠나도록 하겠습니다. 하면 따로 전하실 말씀은 없으신지요."

"안부나 전해 드려."

"알겠습니다."

석호진은 바로 떠났다.

연후는 남은 차를 마저 비우고는 의자에 깊숙이 몸을 파묻으며 눈빛을 가라앉혔다.

철우가 조심스럽게 물었다.

"이후의 정국이 어떻게 돌아갈 거라고 보십니까?"

"내가 원하는 대로."

"……예?"

"태평성세보다는 혼란스러운 시대에 더 많은 기회를 얻을 수 있는 법이지. 역사 속의 모든 신흥 왕조들도 혼란을 기회로 삼아 탄생했으니까. 다만 그 양반이 걱정인데……."

"소공자…… 아니, 대지존 말입니까?"

연후가 묵묵히 고개를 끄덕이자 철우가 말을 이었다.

"다소 혼란은 있겠지만 그래도 큰 공백기 없이 대지존

의 자리에 올랐으니 괜찮지 않을까요? 가장 강력한 세력
이라는 장로원이 뒷배가 되어 줄 테니 말입니다."

"글쎄……."

"비관적으로 보시는군요."

"지금으로서는 낙관적인 구석이 하나도 없으니까. 장
로원이 뒷배가 되어 준다는 보장도 없는 데다, 철 사자
혼자만으로는 대지존을 제대로 보필하기 힘들 거다."

"주군이시라면 최선의 방법을 찾아낼 수 있을 겁니다."

연후는 말을 하려다 말고 눈을 감았다. 갑자기 칼로 찌
르는 것 같은 안통(眼痛)이 밀려든 것이다.

"그만 쉬십시오."

"너도 좀 쉬도록 해. 부상도 한번 더 살펴보도록 하고."

"알겠습니다."

철우가 물러가자 연후는 혈도 몇 곳을 짚어 안통을 다
스렸다. 잠시 후, 안통이 사라지며 피곤이 밀려들자 연후
는 의자에 몸을 묻은 채로 잠을 청했다.

그리고 곧 잠이 들었다.

하지만 언제나처럼 그 시간은 결코 길지 못했다. 불치
병과도 같은 불면증은 여전히 현재진행형이었다.

연후는 자리를 떨치고 일어나 창문을 활짝 열어젖혔
다.

휘이잉.

그는 서늘한 바람에 잠시 몸을 맡긴 채 철혈가의 곳곳을 바라봤다.

'이렇게 되면 적랑단에게 더 고마워해야겠군.'

그들이 십만이 넘는 대군의 군량을 잿더미로 만들지 않았다면 위연광은 혼란을 틈타 반드시 병력을 일으킬 인물이었다.

'만약 다른 가문의 수장들 중에서 위연광만큼이나 야망이 큰 자가 있다면…….'

생각만 해도 가슴이 무겁게 짓눌렸다.

만에 하나 누군가로 인해 지금껏 유지되어 온 모든 것들이 무너지게 된다면 천하는 그야말로 전쟁의 시대로 접어들게 될 것이다.

그러한 시대에서 살아남으려면 북부무림은 지금보다 훨씬 더 강력한 전력을 갖춰야 한다.

'결국 시간이 문제라는 건데…….'

우르릉.

갑자기 하늘 먼 곳에서 천둥소리가 아득하게 울렸다. 하늘을 올려다보니 조금 전까지 떠 있던 달과 별이 먹구름에 가려 보이지 않았다.

후두둑.

빗줄기가 날리기 시작했다.

바람에 날릴 정도로 가는 빗줄기는 금세 굵게 변해 갔다.

쏴아아!

연후는 장로원이 있는 곳을 응시했다.

원주 송겸의 거처에 불이 켜져 있었다. 불빛이 반사된 창에 그림자 두 개가 비쳤다.

머리를 틀어 올린 것을 보니 송영은 아니었다.

그때였다.

"주군!"

마당에서 송영의 목소리가 울렸다.

내려다보니 송영이 위를 쳐다보며 활짝 웃고 있었다.

"잘 다녀오셨습니까?"

"원주의 거처에 손님이 있나?"

"예. 백야벌에 상주하는 우리 쪽 사람이라고 들었습니다. 안 그래도 주군을 먼저 뵈려고 했는데, 저 사람이 먼저 도착하는 바람에 일단 장로원을 먼저 찾았다고 합니다."

'백야벌에 상주하는 사람?'

순간 연후는 미간을 찡그렸다.

'그렇지. 우리 쪽에도 백야벌에 상주하는 사람들이 있음을 지금껏 잊고 있었구나.'

"송영."

"예?"

"가서 원주께 내가 곧 찾아뵌다고 전해라."

"먼 길 다녀오시느라 피곤하실 텐데 오늘은 그만 쉬시지요. 눈치를 보니 며칠 머무를 것 같던데 말입니다."

탁!

연후가 대답 없이 창문을 닫자 송영은 머리를 긁적이고는 장로원을 향해 몸을 날렸다.

* * *

"송학이 주군을 뵙습니다."

연후는 머리를 조아리는 청년을 응시했다.

이십 대 후반쯤 되었을까?

전신에 흐르는 귀태와 비범함이 사뭇 예사롭지가 않았다.

그는 송겸의 손자였고 삼 년 전부터 철혈가를 대표해 백야벌에 상주하고 있었다.

"어서 주군께 모든 것을 상세히 아뢰어라."

"예."

송학이 말을 늘어놓기 시작했다.

대부분이 석호진을 통해 들은 것들이었다. 하지만 몇몇 부분은 귀를 솔깃하게 만들었다.

특히 백야벌에 파견 나와 있던 팔대가문의 인사들 사이에 큰 다툼이 벌어졌고, 그로 인해 사상자까지 발생했다는 부분은 흥미를 부추기기에 충분했다.

한편으로는 소무백을 향한 걱정이 더 커졌다.

'정적들이 그의 지도력을 문제 삼지 못하게 하려면 이후부터 대처를 잘해야 할 텐데…….'

벌 내에서의 암투로 인해 사상자가 발생했다는 것은 이전이었다면 감히 상상조차 할 수 없는 일이었다. 소무백으로서는 집권 초기부터 난제를 만난 셈이었다.

"서북무림 쪽 움직임은 어땠소?"

"제가 내려올 때까지 우리 쪽과 관련한 특이 동향은 없었습니다."

"혹시 인원에 제한이 있소?"

"각 가문당 최대 열 명까지 상주가 가능한 것으로 알고 있습니다."

"확실한 거요?"

"저는 그렇게 알고 있습니다."

"현재 우리 쪽 사람이 여섯이라고 했소?"

"그렇습니다."

연후는 답답했던 속이 뚫리는 기분이었다.

나머지 넷을 믿을 만한 사람들로 채울 여유가 생긴 것이다.

"사람들을 더 보낼 생각이신지요."

연후와 송학을 번갈아 쳐다보며 흐뭇한 표정을 짓고 있

던 송겸이 물었다.

"이처럼 혼란스러운 정국에서 무엇보다 중요한 것은 정보가 아니겠소? 믿을 만한 친구들을 보내고 전서구도 지금보다 더 확보를 해 둬야 할 것 같소."

"마땅히 그래야지요. 허허허."

송겸은 뭐가 그리 좋은지 미소를 거두지 못했다. 송학은 그런 송겸이 의아했지만 자리가 자리인지라 그저 지켜볼 따름이었다.

한편으로는 놀랍기도 했다.

'조부께서는 이분을 완전히 믿고 계신다.'

그가 아는 송겸은 철저한 실리주의자였다. 선주 이염의 시대에도 결코 한쪽으로 치우치지 않고 중립을 표방하면서 정치적 이득을 취해 왔었다.

그랬던 송겸이 연후를 진심으로 대하고 있었다.

하지만 그것보다 더 놀라운 것은 바로 연후가 풍기는 압도적인 기도였다.

'나와 비슷한 나이인 것 같은데 어디서 이런 압도적인 위압감이 나오는 걸까.'

그가 무언가를 물으면 진심을 다해 대답을 하지 않으면 안 될 것 같았다. 시선이 마주칠 때면 그 눈이 자신의 내장까지 속속 들여다보는 것 같은 착각마저 일었다.

'희대의 걸물이라 불렸던 대공자께서도 이 정도는 아니

었는데…….'

"언제 올라가시오?"

"사나흘 후쯤에는 돌아가 봐야 할 것 같습니다. 말씀처럼 혼란스러운 시기라 자리를 오래 비우면 안 될 것 같습니다."

"떠날 시기는 내가 정할 테니 기다리시오."

"……예?"

의아한 표정을 짓는 송학을 송겸이 나지막이 꾸짖었다.

"허어, 너는 그저 주군께서 그리하라 하시면 군말 없이 따르면 되는 것이니라."

"아…… 예, 알겠습니다."

연후는 자리를 털고 일어섰다.

"모처럼 돌아왔으니 정무는 잊고 있는 동안이라도 푹 쉬도록 하시오."

"감사합니다, 주군."

문고리를 잡아 가려던 연후는 송겸을 돌아보며 한마디 더 했다.

"서북무림이 어떻게 나올지 모르니 최대한 빨리 전군에 비상령을 발동해야 할 것 같소."

"상황이 상황이니 마땅히 그리해야지요. 내, 장로들에게 주군의 뜻을 전해 둘 테니 걱정 말고 돌아가서 푹 쉬도록 하시오."

                    *   *   *

　연후가 떠나자 송학은 궁금했던 점을 물었다.

　"저분을 주군으로 완전히 결정하셨습니까?"

　"이 할아비는 그렇다만 아직 대회의를 열지 못했으니 공식적으로는 조금 더 시간이 걸릴 듯하구나."

　"장 가주와 그를 지지하는 쪽에서 말이 많을 것 같습니다만."

　송겸이 되물었다.

　"너는 주군을 어떻게 보았느냐?"

　"기도가 아주 남다르다고 느꼈습니다."

　"남다른 정도가 아니지. 이 할아비가 장담컨대…… 북부의 역사에서 가장 훌륭한 주군이 되심은 물론이고, 지금껏 우리 북부가 이루지 못한 것을 이룩하실 것이다."

　말을 하는 송겸의 눈빛이 아련한 빛마저 머금어 가자 송학은 다시 한번 놀랐다.

　'대체 무슨 일이 있었기에 그 냉철했던 조부께서 이런 표정까지 지으신단 말인가.'

　"학아."

　"예."

"시간이 있으니 얘기는 차차 하기로 하고 오늘은 이만 쉬도록 하여라."

"예. 하면 소손은 이만 물러가 보겠습니다."

송겸의 거처를 나선 송학은 옛날부터 사용해 왔던 자신의 거처로 향했다. 하지만 몇 걸음 걷지 못하고 멈춰 서야 했다.

저만치 앞에 연후가 한 사람과 마주 보며 서 있었다. 무심결에 그를 응시하다가 시선이 마주쳤는데, 순간 송학은 시퍼렇게 벼른 칼날이 동공을 파고드는 것 같은 착각에 눈을 몇 차례 깜박거렸다.

'사람의 눈빛이 저렇게도 무서울 수가 있다니…….'

송학을 이처럼 놀라게 만든 이는 바로 철우였다.

송학은 바로 시선을 거두고는 거처로 향했다. 가면서 한 번 더 쳐다볼까, 하다가 그냥 참았다.

도저히 마주 볼 엄두가 나지 않은 것이다.

'그나저나 누구지? 본가에서 저런 사람은 본 적이 없는 것 같은데…….'

휘이잉.

담장을 감고 들이친 바람이 송학의 얼굴을 사납게 할퀴고 지나갔다.

송학은 다시 걸음을 멈춰야 했다.

전방에서 사람들이 걸어오고 있었다. 모두 여섯 명이었

는데, 다섯 명은 온몸이 땀으로 흥건히 젖어 있었다.

그들이 풍기는 땀 냄새가 바람을 타고 후각을 비릿하게 자극했지만, 송학의 두 눈은 맨 뒤에서 걸어오는 한 사내에게 고정되어 있었다.

찌르르…….

송학은 자신도 모르게 몸을 한 차례 떨었다.

사내는 조금 전 연후와 함께 서 있던 자와 비슷하면서도 다른 분위기를 풍기고 있었는데, 감히 정면으로 시선을 마주할 엄두가 나지 않는 것은 마찬가지였다.

'저 사람은 또 누구지?'

사내는 다름 아닌 백무영이었다.

그 역시 처음 보는 얼굴이었기에 송학은 그의 정체가 매우 궁금했다.

그 와중에 거리는 가까워졌고 송학은 철우를 볼 때와 마찬가지로 시선을 슬며시 돌렸다.

그때였다.

"처음 보는 얼굴이군."

무심하기 짝이 없는 목소리가 백무영의 입술을 뚫고 흘러나왔다.

송학은 자신도 모르게 평소보다 큰 소리로 말했다.

"소, 송학이라고 합니다. 장로원주가 저의 조부가 되십니다."

"장로원주에게 당신 같은 손자가 있었나?"

"아, 그게…… 제가 몇 년 전부터 백야벌에 파견을 나가 있다가 일이 있어 조금 전에 막 돌아온 관계로……."

송학은 말을 하다 말고 눈을 휘둥그레 치떴다. 땀으로 흠뻑 젖어 있는 다섯 사람들 중에 아는 얼굴을 발견한 것이다.

바로 조영이었다.

조영도 그제야 송학을 알아보고는 얼굴이 휘둥그레졌다.

"어? 송 형."

* * *

송학과 조영이 마주 앉았다.

둘은 어려서부터 꽤 친한 사이였다.

송학이 자리에 앉기가 무섭게 물었다.

"도대체 어떻게 된 일이냐. 네가 왜 철혈가에서 수련을 받고 있으며, 조금 전에 그 사람은 또 누구냐?"

"그게 어떻게 된 일이냐면……."

조영이 자초지종을 설명했다. 설명이 끝나자 송학은 놀람을 감추지 못했다.

"인질로 끌려왔단 말이냐?"

"명목은 유력 가문의 후계자들을 더욱 강하게 수련을 시켜 주겠다는 거지만, 인질로 끌려왔다고 보는 게 정확할 겁니다. 솔직히 저희 가문이나 여기 와 있는 친구들의 가문이 모두 장 가주를 지지하고 있었으니까요."

시큰둥한 표정으로 말하는 조영.

하지만 송학의 반응은 실로 뜻밖이었다.

"아주 절묘한 한 수로구나."

"그게 무슨 말이오? 절묘한 한 수라니."

"내가 주군이라도 그렇게 했을 것이다. 남부의 가장 유력한 가문들을 꼼짝 못 하게 만들 수만 있다면 그보다 더한 짓인들 못할까."

"진심으로 하는 말이오?"

"물론 진심이지."

탁!

조영이 손바닥으로 탁자를 다소 강하게 내려치고는 고개를 홱 돌렸다.

"벌에 가 있더니 사람이 변한 것 같소. 흥!"

송학은 옅은 미소를 머금었다.

"수련은 할 만하고?"

"억지로 하는 수련이 할 맛이 나겠소? 하루에도 수십 번씩 도망치고 싶은 마음이 굴뚝같소."

"내가 아는 너는 백 번은 더 도망을 치고도 남았을 텐데…… 왜 입이 한 발은 나왔으면서 계속 머무르는 거지?"

"그랬다가는 목이 열 개라도 남아나지 못할 거요. 그 인간이 좀 무서워야 말이지……."

"주군을 말하는 건가?"

"아까 그 양반 말이오."

백무영을 말함이었다.

송학의 두 눈이 이채를 발했다. 그가 아는 조영은 세상에 무서울 것이 없는, 오만함으로 똘똘 뭉친 인간이었다.

"강해서 무서운 모양이군."

"……그렇소. 아주 소름이 끼칠 정도로 강한 데다 한번 눈빛이 변하면……."

조영이 말을 하다 말고 몸서리를 쳤다.

송학이 다시 한번 이채를 머금는 순간이었다. 그는 이내 빙그레 웃으며 말했다.

"그럼 네겐 잘된 일이잖아. 그러니 기왕에 하는 거 열심히 하도록 해. 강해져서 나쁠 건 없잖아. 너도, 너희 가문도 말이야."

"한데 어쩐 일로 오셨소?"

"일이 좀 있어서."

송학은 자리를 떨치고 일어섰다.

"모처럼 만났는데 술이라도 한잔하고 가시오."

"매일같이 수련을 하는 사람이 무슨 술을 마신다고 그

래? 나도 피곤해서 이만 가서 쉬어야겠으니 내일 보자고."

조영의 거처를 나선 송학은 다시 걷기 시작했다. 하지만 이번에도 얼마 걷지 못하고 걸음을 멈춰야 했다. 이번에 그를 멈추게 만든 사람은 장천이었다.

송학은 인사를 하려다가 슬며시 건물 옆으로 몸을 피했다. 다행히 장천은 그를 보지 못했다.

'내 거처로 가는 길이 이처럼 험할 줄이야.'

송학은 쓴웃음을 지으며 장천을 바라봤다.

사실 그는 장천을 별로 좋아하지 않았다. 어려서부터 봐 왔던 장천은 야망을 위해서라면 수단과 방법을 가리지 않는 사람이었다.

거기에 아침에 한 말을 저녁에 잊어버릴 정도로 일상화된 거짓말에, 여성 편력도 심했다.

그럼에도 차기 주군으로까지 거론될 정도로 북부의 유력 인사가 될 수 있었던 것은 부정한 방법을 통해 쌓은 재력을 이용해 수많은 사람들을 자신의 편으로 만들어 놓은 덕분이었다.

장천의 비리와 관련한 의혹이 불거질 때면 그들이 앞장서서 장천을 변호했고, 비판을 하는 정적들을 죽이는 일도 마다하지 않았다.

물론 이와 같은 모든 것들은 의혹으로 남아 있었고, 다수의 사람들은 전혀 모르는 일이었기에 오늘날의 자리에까지 오를 수 있었던 것이다.

어쩌면 그러한 것들을 누구보다 잘 알고 있었던 송학이기에 연후에 대한 반감이 작을 수도 있었으리라.

송학은 연후를 떠올렸다.

과하다 싶을 정도의 위압감이 다소 마음에 걸렸지만, 알 수 없는 묘한 매력과 깊고 고요하게 가라앉은 눈빛은 매우 인상적이었다.

'조부께서 그토록 믿으시니 나도 한번 믿어 볼 수밖에.'

* * *

며칠이 흘러갔다.

그동안에 연후는 전군에 비상령을 발동하고 서북무림의 움직임을 살피는 데 주력하는 한편, 백야벌로 누구를 보낼지를 두고 고심했다.

당초 백무영과 서백, 송영을 보낼까 했지만 그들은 철혈가에 당장 필요한 존재였기에 결국 다른 수하들을 보내는 것으로 결론지었다.

한편, 송학은 연후가 아무런 말이 없자 슬슬 걱정이 되기 시작했다. 자리를 너무 오랫동안 비워 둘 순 없었기 때문이다.

하지만 그는 조금 더 기다려 보기로 했다.

송겸에게도 사정을 설명했는데, 연후를 믿고 기다리라는 답이 돌아올 뿐이었다.

휘이잉.

송학은 자신의 거처에서 창문을 활짝 열어 놓고 철혈가의 전경을 내려다봤다. 장로원이 상대적으로 높은 곳에 위치하고 있어서 그의 거처에서 내려다보면 철혈가의 모든 전경이 보였다.

'며칠 동안 느낀 거지만 확실히 무사들의 표정부터가 과거와는 확연히 달라졌다. 이게 다 그분의 영향이라니……'

연후가 온 이후로 서북무림과 몇 번의 충돌이 있었다고 들었다. 놀라운 것은 모든 충돌에서 북부가 압도했다는 점이었다.

그 중심에 연후가 있었고, 무사들은 그의 활약에 고무되어 잃었던 자신감과 자존감을 되찾을 수 있었다고 했다.

그중에서도 단연 압권은 벽력가의 장로원주를 죽인 것이었다.

처음 송겸을 통해 그 말을 들었을 때, 송학은 자신의 귀를 의심했었다. 감히 천하의 누가 벽력가까지 쳐들어가 위연광만큼이나 대단한 인물인 장로원주의 목을 벨 생각을 할 수 있을까.

하물며 성공까지 했으니.

'위연광, 그 오만한 작자의 낯짝이 어떻게 변했을지 궁금하구나. 후후후.'

송학은 웃었다.

다른 것은 몰라도 이 부분은 생각할수록 통쾌했다. 하물며 자신에게 목숨만큼이나 소중한 조부 송겸을 암살하려 했던 것에 대한 보복이라 하지 않는가.

"흠. 바람 한번 따뜻하구나."

어느새 송학은 근심 따윈 털어 버리고 살랑살랑 불어오는 봄바람을 음미했다. 그러다가 이채를 발한 것은 저만치 앞을 걸어가는 연후를 발견했을 때였다.

그는 본능적으로 자세를 바로 고치는 스스로를 발견하고는 실소를 머금었다.

'압도당한 건가?'

아니라고 부정하고 싶었지만 사실이었다.

돌아온 첫날 조부의 거처에서 처음 연후를 본 이후로 지금껏 만나지 못했지만, 그때의 첫인상은 그의 뇌리에 뚜렷하게 각인되어 있었다.

'뵌 김에 가서 한번 여쭤볼까?'

송학은 크게 심호흡을 하고는 창을 통해 마당으로 훌쩍 뛰어내렸다. 그러고는 연후를 향해 다가가며 머리를 조아렸다.

"주군."

연후가 걸음을 멈추고 그를 돌아봤다.

송학은 용기를 내어 그의 두 눈을 정면으로 쳐다보며 입을 열었다.

"언제쯤 돌아갈 수 있을지 궁금해서 여쭤봅니다, 주군."

"늦어도 이틀 후면 떠날 수 있을 거요."

"아…… 예."

"어디 불편한 점은 없소?"

"제가 나고 자란 곳이라 모든 것이 아늑하고 편할 따름입니다. 신경 써 주셔서 감사합니다."

"심심하면 같이 가겠소?"

"어디를……."

"전군에 새롭게 지급될 신무기 시험이 있소."

"아! 그렇습니까? 하면 저도 같이 가겠습니다."

잠시 후, 연후와 송학이 도착한 곳은 대연무장이었다.

그곳에는 이미 철혈가의 주요 수뇌부들이 나와 있었다. 그리고 큼지막한 탁자 주변에 서백을 비롯한 몇 명의 무사들이 모여 있었는데, 송학은 활과 화살, 그리고 검 몇 자루밖에 없자 의아함을 금치 못했다.

'저 활과 검이 신무기란 말인가?'

그는 신무기라고 해서 아주 강력한 쇠뇌 같은 것을 생

각하고 있었다.

"어서 오십시오, 주군."

장천이 모두를 대표해 연후를 맞았다.

그가 껄끄러웠던 송학은 일부러 연후의 뒤에 자리를 잡았다.

"시작할까?"

"예, 주군."

서백이 먼저 활을 들었다.

이미 남부방위군에서 선을 보인 바가 있던 바로 그 활이었다.

서백은 활을 옆의 무사에게 건넸다.

무사가 활을 건네받고는 곧장 시위에 화살을 얹었다.

끼끼끼…….

시위를 당기는 소리가 마치 쇳소리처럼 울렸다. 하지만 무사의 표정은 매우 평온했다.

서백이 모두를 향해 말했다.

"이 친구의 무력 수준이 하급을 넘지 못한다는 것을 염두에 두고 봐 주시기 바랍니다."

뒤이어 신호를 주자 무사가 화살을 날렸다.

쐐애액!

파공성과 함께 날아간 화살은 연무장의 끝에 서 있던 과녁에 그대로 명중했다.

기존 북부무림의 무사들이 사용하는 활보다 훨씬 더 긴 사정거리를 자랑했지만 크게 놀라는 사람은 없었다. 사실 천하에 사정거리로만 따지면 이보다 더 긴 활도 있었기 때문이다.

오히려 몇몇은 실망스러운 기색마저 내비쳤다.

그건 송학도 마찬가지였다.

'사정거리가 길어도 파괴력이 떨어지면 별 소용이 없는데……'

그때 한 중진이 말하고 나섰다.

"우리 북부는 이미 백 년 전부터 사정거리보다 파괴력에 중점을 두고 활을 제작해 왔네. 대규모 전투에서 살상력을 높이자면 사정거리보다 파괴력이 중요하니까. 한데 저 활은 그저 사정거리만 길지 않은가?"

"파괴력도 기존의 것보다 최소 세 배는 더 강력하게 제작했습니다."

"세 배나 더 강력하다고?"

술렁.

수뇌부들이 술렁거렸다. 누구도 서백의 말을 믿지 못하겠다는 표정들이었다.

그때 서백이 과녁이 있는 곳을 향해 손짓을 했다. 그러자 연무장 좌측에서 무사 두 명이 뛰쳐나오더니 과녁을 통째로 들고 뛰어오기 시작했다.

잠시 후, 무사들이 들고 온 과녁을 수뇌부들 앞에 내려 놓았다. 뭔가 싶어 쳐다보던 한 중진이 소스라치게 놀랐다.

"엇! 저걸 좀 보시오!"

"과녁의 두께가……."

장천조차도 흠칫하는 반응을 보였다.

그도 그럴 것이, 과녁의 두께가 거의 한 뼘에 달했는데, 화살촉이 그 뒤쪽까지 관통을 해 버린 것이다. 하물며 과녁의 재질은 가장 강한 나무로 되어 있었다.

묵묵히 지켜보던 연후가 나섰다.

"네가 직접 쏴 보지."

"예."

서백이 활을 들어 시위를 당겼다.

쐐애액.

화살은 다시 연무장의 끝을 향해 날아갔다. 그리고 '퍽!' 하는 소리와 함께 연무장 끝에 우뚝 솟아오른 바위에서 돌가루가 뿌옇게 흩날리더니, 무사의 우렁찬 외침이 터졌다.

"관통이요!"

"관…… 통이라니!"

"정말 바위를 관통했다는 말이오?!"

씨익.

"무력의 수준에 따라 위력이 배가 됨은 당연한 것이 아니겠습니까. 일단 상대적으로 공력이 떨어지는 하급과 중급 무사들 위주로 생산을 하고, 이후 고수들용으로 따로 제작이 들어가게 될 겁니다."

그때 묵묵히 지켜보던 연후가 나섰다.

"이미 남부방위군에는 보급이 시작되었소. 이후 본격적으로 생산이 시작되면 최소 삼 개월 내에는 전군에 지급이 가능할 거요. 다음."

"예. 그럼 이번에는 검으로 시연을 해 보도록 하겠습니다."

이번에도 시연자는 하급 무사였다.

잠시 후, 모두가 두 눈을 부릅뜨며 경악했다.

몇몇은 탄성을 지르며 박수까지 쳤다.

가장 약한 하급 무사가 휘두른 검에 천으로 묶어 놓은 여섯 개의 대나무가 부서진 것이 아니라 마치 두부처럼 깨끗하게 잘려 나간 것이다.

와아아!

"날카로움도 날카로움이지만 내구성이 기존의 검보다 세 배는 더 강해졌고……."

격한 반응에 신이 났는지 설명을 해 나가는 서백의 목소리가 한껏 커졌다.

송학은 그런 서백에게서 눈을 떼지 못했다.

'주군이 데려온 사람이라고 들었다. 무술 교관과 주군의 호위, 그리고 조부님이 각별히 아끼시는 송영이라는 자까지…… 모두가 하나같이 대단한 사람들뿐이구나.'

이 순간 송학은 연후의 등이 마치 대해처럼 넓고 태산처럼 거대하게 느껴졌다.

서백의 설명이 끝나자 연후가 나섰다.

"다들 주목하시오."

그가 입을 열자 모두가 흥분을 가라앉히고 일제히 주목했다. 연후는 천천히 모두를 쓸어 본 다음에 말을 이었다.

"다들 알겠지만 무기를 제작하려면 상당한 비용이 들기 마련이오. 본가의 재정으로는 어림도 없으니 여러분들이 발 벗고 나서서 도와줘야겠소. 송영."

"예, 주군."

언제 왔는지 송영이 먹과 붓, 그리고 기다란 천을 들고 앞으로 나섰다.

연후가 말을 이었다.

"성금은 바라지도 않소. 누가 얼마를 내든 정확하게 기재를 해 두었다가 훗날 이자까지 쳐서 돌려줄 것이오. 또한 가장 많은 금액을 낸 가문과 문파에 우선적으로 지급될 것이며, 수장들에게는 이 친구가 특별히 제작을 한 최고의 검을 선물하겠소."

결코 반가운 소리는 아니었다.

그래서일까? 분위기가 조금 가라앉았다. 하지만 연후도 이 정도는 예상하고 있었다.

그는 장천을 응시했다.

[외숙부터 솔선수범을 보여야 하지 않겠소?]

(북천전기 4권에서 계속)

마인무적

십사센 신무협 장편소설

"그동안 고마웠어요."

십삼 년의 결혼생활
아내의 이별 통보와 함께 삶을 부정당했다
좋은 남편이자, 공명정대한 협객으로 살아온 지난 시간

"더는 휘둘리는 삶을 살지 않겠어!"

새롭게 찾아온 기회
나는, 마인이 되기로 결심했다!

「역대급 만능 BJ」의 작가 여령,
그가 야심차게 선보이는 통쾌한 신작!

「폭군으로 살어리랏다」

만부부당(萬夫不當)한 무위를 지녔으며
만인(萬人)을 휘어잡는 카리스마를 지닌 영웅,
그러나 오만하여 만용을 부리다
비참한 최후를 맞이한 광군주(狂君主) 지한 오르흘

"내가 그 지한 오르흘이라고?"

압도적인 무력에 고인물의 전략이 더해진 순간,
대륙을 진동시키는 폭군의
새로운 역사가 기록된다!

여령 퓨전 판타지 장편소설

폭군으로
살어리랏다

삶이 협(俠)이었다면 죽어도 좋지 아니한가.

사문의 가르침대로 살다 죽었다고 자부하던
시골 소문파의 이름 없는 무사가
마교 부교주의 몸에서 깨어났다.

최종병기.
인간백정.
백도 도살자.
살예진천황.
백도제일인 사냥꾼이라 불리던 부교주가 이상하다.

"부교주님 왜 저러는 거랍니까?"

길잡이 한 명에 마부 하나,
그리고 비루먹은 개 한 마리와 함께 천산을 벗어난
그의 행보가 강호에 파란을 불러온다.

소조 신무협 장편소설

마교
부교주가
사는 법